生成AI スキルとしての 言語学

誰もが「AIと話す」時代における
ヒトとテクノロジーをつなぐ
言葉の入門書

Analytical Linguist
佐野大樹

ずっと使える
「生成AIとの話し方」、教えます。

生成ＡＩ技術は、
まさに「日進月歩」の速度で進化しています。

ただ、あまりにも進化が速く、
現在、効果的とされる生成ＡＩの使い方が、
明日には陳腐化してしまう可能性が高い領域です。

どれだけ目まぐるしい生成ＡＩの変化があったとしても、
学んでおくと、「スキル」としてどの時代でも
普遍的に通用する、むしろ生成ＡＩの性能が
向上すればするほどに重要性を増すものがあります。

それは、「言語学」です。

言語学というのは、ざっくり言うと、
自分が「伝えたいこと」を誰かに伝えるために、
どう言葉で表すことができるのか、
また、どの言葉を使うのが効果的かを
追求してきた学問です。

例えば、「窓を閉めてもらいたい」と
誰かに伝えたいとしましょう。

その際、「窓を閉めて」「窓開いたままですか」
「この部屋寒いですね」など、
どのような言葉の「選択肢」があるか、
また、「直接指示を出すのが失礼な相手だから、
『この部屋寒いですね』と言おう」
というように、話し相手と自分の関係などを考えて、
「選択肢」の中から、どの言葉を使うのがよいか
といったことを、言語学では、明らかにしてきました。

でも、なぜ、「言語学」が
生成AI時代に必要なのでしょう。

生成AIとのコミュニケーションは、
プログラミング言語のような形式言語でなく、
私たちが普段使っている言葉、
自然言語で行われています。

GoogleのBardやOpenAIのChatGPTなど、
さまざまなサービスがありますが、
それらを使う際には「英文を日本語にして」
「富士山と海のイラストを描いてみて」といったように、
まるで人と会話するかのように言葉を使います。

言語学が研究の対象としてきたのは、
この「**自然言語**」なのです。

私たちは、長年にわたり言語学で探求され続けてきた、
「伝えたいこと」を言葉で表す際の
「選択肢」を理解し、そのなかで、生成ＡＩとの対話で
効果的な「言葉の選び方」を学ぶことで、
生成ＡＩの潜在能力を引き出すことができるのです。

この「選択肢」と「言葉の選び方」を
知っているかどうかが、上手に生成ＡＩと
話せる人と話せない人の差になります。
今後さらに、生成ＡＩがより私たちの言葉を理解、
生成できるようになればなるほど、
このスキルがあるかないかで、差は広がっていくことでしょう。

「**生成AIスキルとしての言語学**」は、
私たち人が、生成AIの底力を引き出せるよう、
自分が持つ言葉の「**選択肢**」を増やし、
効果的に言葉を選ぶためのスキルです。

ゆえに、この本を読んで習得できるスキルは、
生成AIがさらに進化しても、ずっと、
生成AIの使い手である私たちが活用できるものとして、
その価値がさらに高まるものと考えます。

「生成AI」「言語学」と聞くと、
「難しそうだな……」という印象を受ける方が
いるかもしれません。

でも、大丈夫です。

日常的に言葉を使っている私たちは、すでに、
「生成AIスキルとしての言語学」を
活用できる準備ができています。

必要なのは、生成ＡＩと上手に話すための
言葉の「選択肢」と、その「選び方」を把握することです。
本書の内容を学べば、誰もが使いこなせるスキルです。

「生成ＡＩスキルとしての言語学」で、
ずっと使える「生成ＡＩとの話し方」を習得し、
生成ＡＩの底力を縦横無尽に引き出してください。

はじめに

生成ＡＩは、テキストでも音声でも、私たちが普段使っている言葉で指示や質問をすれば、文書・画像・音楽……、さまざまなものを作成し、回答してくれます。

この様子は、まさに「対話」であり、「生成ＡＩと話している」かのような感覚に陥ります。

しかし、「生成ＡＩと話す」と言っても、どうやって話すのがいいのでしょうか。

生成ＡＩの使い方に関する書籍、動画、ウェブサイトは、本書以外にもたくさんあり、生成ＡＩへの指示や質問の仕方の具体例、テクニックなどを多数紹介しています。

ただ、生成ＡＩに指示や質問を伝えるための「効率的な話し方」には、どのようなものがあるか、また、話し方の違いが生成ＡＩの回答にどう影響するかといったところに関して、学術的な知見を拠り所として説明しているものはまだ少ないように思います。

そこで本書では、言語学の立場から、生成ＡＩに指示や質問を伝えるのにどのように話す方法があるか、また、特定の話し方をすることで、それが生成ＡＩの回答にどんな違いをもたらすのかを明らかにし、「生成ＡＩスキルとしての言語学」として、生成ＡＩの知識やスキルの引き出し方について概説します。

一般的な生成ＡＩの使い方は、生成ＡＩの能力が向上するとともに変わっていきますが、言語学的知見にもとづく生成ＡＩとの対話法は、生成ＡＩの能力の変化を問わず、活用し続けていただけるものと思います。

申し遅れました。

佐野大樹（さのもとき）と申します。

私は、機械と人のコミュニケーションのスペシャリスト（Analytical Linguist）として、現在、生成ＡＩの開発に従事しています。

オーストラリアで言語学の博士を取得したのち、国立国語研究所という日本語や社会における言葉の実態を科学的・総合的に研究する研究機関に、言語学者として、所属しました。

　この研究所では、書籍、雑誌、新聞などにあるさまざまな書き言葉を収集して、言葉の使われ方を分析、研究するための言語データを作成するプロジェクトに従事しました。多様なジャンルで、言葉がどのように使われているかを研究しました。


　一例としては、評価を表す言葉の使い方について研究を行いました。

　言葉の主な機能の一つに、「よい」「悪い」など、肯定的、もしくは否定的な評価を表すというものがあります。評価を表す言葉には、どのような種類があるか構築した言語データを活用して分析し、評価表現の分類表と辞書を作りました。

　この辞書では、「評価の対象にどんな気持ちを抱くか」や「評価の対象は、他のものにどう影響するか」などといった評価の視点を基準として、「斬新」「精巧」「陳腐」「雑」など、８０００件程度の評価を表す言葉が分類されています。


　具体例がないと想像しにくいかと思いますので、「斬新」「精巧」「陳腐」「雑」が、この辞書ではどう分類されているか、少し、解説してみます。「斬新」「精巧」などの表現は肯定的な評価を、「陳腐」「雑」などは否定的な評価を表す言葉です。
しかし一方で、どのような視点から評価しているか、という見方もあるのです。新しい推理小説を評価するときに「斬新」「陳腐」といった表現を使った場合、どちらも、今まで発表された他の作品と対象を比べることを視点として評価している言葉ということができます。また、「精巧」「雑」という言葉を使った場合、今度は、小説の文章構造や表現の精密さを視点として評価していることがわかります。

このように、評価を表す言葉には、評価をした人が、どんな視点を重要視して意見を述べているのかを把握できるものが多数あります。ここで解説したような言葉の特徴を捉えて、肯定的か否定的な表現かだけでなく、評価の視点を踏まえた分類表と辞書を構築しました。

この辞書は、商品などのレビューやフィードバックで、ユーザーがどのような視点を重要視してよい・悪いと評価しているか、自動で分析するために活用されました。

言語データの構築プロジェクトが終了した年、東日本大震災が起きました。あの時、多くの方が悩んだように、私も、自分には何ができて、何をすべきか迷いました。言語学分野で研究を続けるべきか、言語学の知見を他に活かす方法を模索すべきか、葛藤を繰り返しました。

この頃から私は、言語学分野だけでなく、言葉の研究や知見がより社会や生活に近づくにはどういった道があるかと考えるようになり、言語学的な知見を応用して、IT関連サービスや情報資源の開発に従事できる分野の一つ「自然言語処理」に、言語学者という立場から挑戦し始めました。

そのような背景もあり、人工知能や自然言語処理の研究機関である、情報通信研究機構のユニバーサルコミュニケーション研究所に所属していたときは、地震などの災害時に発信されるSNSの投稿の研究にも取り組んでいました。

災害時には、「〇〇で飲料水が足りません」など問題を発信する投稿、また、「飲料水が〇〇体育館に届きました」など、対応策を発信する投稿が多く見られます。しかし、「飲料水が〇〇体育館に届きました」という情報が「〇〇で飲料水が足りません」という投稿をした人にうまく届くとは限りませんし、その逆もまた然りです。

そこで、問題を伝える投稿と対応策を伝える投稿で、どのように言葉が使われるかを研究し、それらの投稿を自動でマッチングして、問題と対応策をつなげるシステムの開発を行いました。

現在の職場では、スマートスピーカーなどのバーチャルアシスタントで、「音楽を再生して」「曲を流して」など、人が機械に指示、質問するときに、どのような言葉を使うのかを把握し、さまざまな表現が用いられていても、同じ意図の発話であれば理解できるようなシステムの構築にも従事してきました。

今まで私が言語学者として培ってきた研究、経験と知見を総動員して、生成ＡＩと人との対話をより広く、より深くする方法を「生成ＡＩスキルとしての言語学」として、本書にまとめました。

「生成ＡＩとの話し方」には、どのようなものがあるか、また、どのような話し方をすると生成ＡＩの底力を引き出せるのか、理解を深めていただければ幸いです。

佐野大樹

目次

第2章

言語学がなぜ必要?

第3章

生成AIと話す目的は？ 生成AIとの対話はどんな構造？

第4章

状況設定を伝えて生成AIをカスタマイズしよう

第5章

指示／質問の説明で生成ＡＩを誘導する

第6章 様式や具体例を伝えて、生成AIの底力をさらに引き出す！

第7章 生成AIと評価や批判を見つめ直す

第8章 生成AIによってさまざまな「壁」が溶けていく

本書の注意点

本書で紹介されている生成ＡＩの回答は、全て、Googleの生成ＡＩ「Bard」（https://bard.google.com）のものです。回答は、紙面の関係上、一部抜粋して掲載しているものもあります。生成ＡＩの回答は文字統一などをしておりません。Bardの回答は、２０２３年７月17日から２０２３年12月９日までに生成されたものです。

また、本書に示された意見は私個人のものであり、所属する組織を代表するものではありません。

第1章

生成AIとの対話における新しい言葉の役割

人工知能の進化：生成ＡＩの誕生と普及

生成ＡＩとは？

生成ＡＩは人工知能の一種で、テキスト・画像・音楽などさまざまなコンテンツを作成することができます。

例えば、日常作業では、メールの下書きや文書の校正を手伝ってくれます。旅行や誕生日パーティーのプランを考えたりすることもできます。

ビジネスシーンでは、企画書のドラフト案を作成したり、打ち合わせのメモを文章に書き起こしたり、英語の文書を要約するのに活用されています。また、マーケティング分野では、キャッチコピーや商品の説明を生成ＡＩに読ませ、そこからターゲット層別にアレンジした広告やコンテンツを生成するのに利用されています。

教育分野では、生成ＡＩに英会話学習の話し相手になってもらったりしています。また、授業カリキュラムのアイディア出しをしたり、学習状況に合わせた問題を作成したりする試みも始まっています。

エンターテインメント分野では、ＳＮＳコンテンツのタイトルを考えるのを手伝ってもらったり、生成ＡＩを使って作成した書籍、写真集、音楽などが公開されたりしています。

市役所などの公共機関では、生成ＡＩに自治体が持つ情報を学習させて、Ｑ＆Ａシステムの開発を進めています。

医療分野でも、薬や病気の情報などを要約し、チャット形式で答えられるようなシステムが構築されてきています。

このように生成ＡＩは、日常的なタスクから専門的なタスクまで、幅広いシーンで利用が広まっています。

今までの人工知能とどう違う?

▼言葉で指示や質問するだけで生成できる!?

生成ＡＩがなぜここまで急速に普及しているか。そこには、今までの人工知能開発では達成できなかった技術的な革新がいくつかあります。

人工知能の歴史が１９５０年代に始まって以来、今までさまざまなシステムが人工知能を利用して開発されてきました。

例えば、人工知能は、レントゲン写真やＭＲＩ画像の異常部分を検知するのに利用されています。病気の見逃し防止と早期発見に大きく貢献しています。

またスマートスピーカーなど、人工知能を使って短い会話で、音楽をかけたり、アラームを設定したりするのを手助けしてくれるアシスタントも開発されました。

しかし、人と同じようなレベルでテキストや画像を生成できたものはこれまでありませんでした。

これが今までの人工知能と生成ＡＩの大きな違いの一つと言えるでしょう。

もう一つ、決定的な違いを生んでいるのが、生成ＡＩと人とのコミュニケーション方法です。今までの人工知能と違い、生成ＡＩは、質問や指示を我々が普段使っている言葉で伝えることができます。

例えば、生成ＡＩには「40代の男性向けに、化粧水のキャッチコピーを考えて」などと人間に伝えるように指示を出すことができます。今までの人工知能とは、我々が普段使っている言葉で柔軟にやりとりすることはできませんでした。これが、生成ＡＩとは可能になったというわけです。

なお、プログラミング言語や数学で使われる記号などの**形式言語**と対比して、「40代の男性向けに、化粧水のキャッチコピーを考えて」のように、我々が日常生活でコミュニケーションを行うために使用する言語のことを**自然言語**と言います。

今までの人工知能は特定のタスクに特化して学習が行われ、そのタスクに限定されたシステムを開発し、それを我々が利用するという場合がほとんどでした。

専門知識やプログラミングスキル、データ、性能の高い計算機なしでは、自分がやりたいことを柔軟に人工知能に実行させることはできませんでした。

一方、生成ＡＩには、我々の指示や質問を自然言語で伝えることができます。

我々は、今までと違い、専門知識、多くのデータ、開発費などがなくても、生成ＡＩと会話するだけで、日常的な小さなタスクから、社会問題に関する大きなタスクまで、自分の用途・目的に合わせて、人工知能を利用できるようになったのです。

今までは、特定の個人や組織によってしか開発・利用されてこなかった人工知能が、個人の目的や状況に合わせて利用できるようになったというわけです。

これは、人工知能の歴史にとってはもちろんですが、我々が日常的に使用している言語にとっても大きな変革となります。

人と人とのコミュニケーション手段として確立されてきた言語が、人以外とのコミュニケーションにも利用できる社会が到来したと言えるでしょう。

生成AIは、どう生成する？

生成ＡＩが文章や画像、プログラムコードを作れるようになったのは、コンピュータの処理能力が上がったり、学習に利用できるデータが増えたりしたことによる部分が大きいです。そして、その能力の根本には、**トランスフォーマー**という仕組みがあります。

トランスフォーマーは、入力されたテキストを深く理解し、それにもとづいた新しいテキストを生成する能力を持つシステムです。

トランスフォーマーは、大まかに言うと、「エンコーダー」と「デコーダー」という2つの部分からできていて、エンコーダーが、入力されたデータ（テキストなど）の重要な特徴は何かを把握します。一方、デコーダーは、把握したデータの特徴を踏まえて、それに対応した文を生成したり、翻訳したり、要約したりします。

例えば、日本語から英語への翻訳タスクでは、仮に、「日本で一番高い山は富士山です」という入力文があったら、エンコーダーが、この文で大事な特徴は何かを把握して、それにもとづいて、デコーダーが、「The highest mountain in Japan is Mt. Fuji.」などといった英語の文を出力します。

しかし、どのようにデータの大事な特徴を把握するのでしょうか？　トランスフォーマーでは、次の2つのことを踏まえて、入力データで何が大事な特徴か把握したり、文を生成したりします。

①単語など、データの「要素」が、どこに現れるか

②その要素が、その場所に現れるのに、他のどんな要素がどれくらい強く関係しているか

これら2つのことを、たくさんのデータから人工知能に学習させ、この要素と要素間の関係の理解にもとづいて、生成AＩは文書を書いたり、質問に答えたりします。

例えば、①と②について「今日はあめ」という短い文で考えてみましょう。

言葉について考える場合だと「要素」として単語が考えられます。

この文は、「今日」「は」「あめ」という3つの単語からなっています。

▶ 単語が現れる位置と関連性

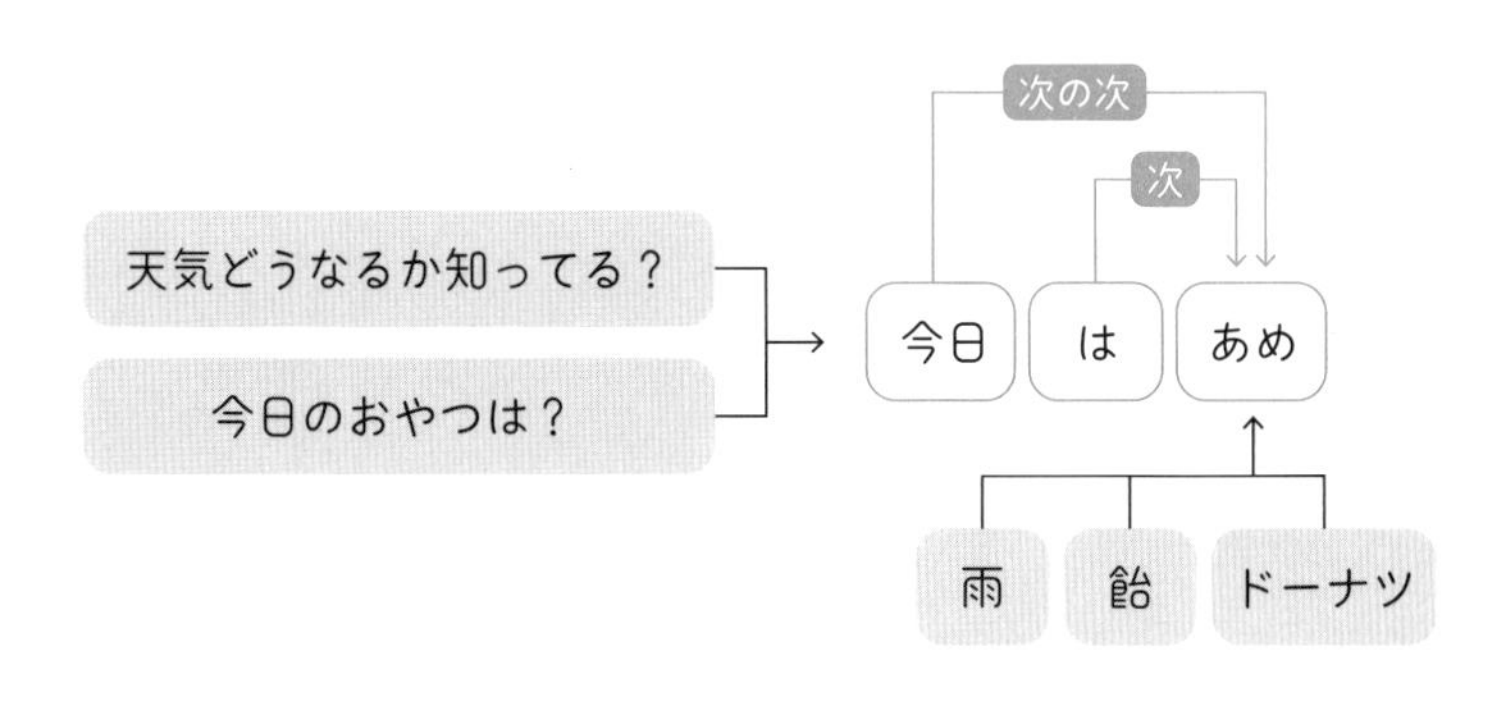

まず、①単語が「どこに現れるか」について考えてみましょう。

「あめ」という単語について考えると、順序としては、「今日」「は」に続くこの文で3番目の単語だと言うことができます。また、文の最後の単語と言うこともできます。

「あめ」が、どんな単語の周りに現れるかを考えると、この文では、「今日」の次の次の単語で、「は」の次の単語として出現しています。

言葉で位置と言うとちょっとわかりにくいので、絵に置き換えて考えてみましょう。

例えば、チューリップの花の絵があったとしましょう。

ここでは簡単に、花、茎、葉っぱ、球根などを「要素」として考えてみましょう。

「花」がどこに現れるかを考えると、「花」

は「茎」のすぐ上にあるもの、「葉っぱ」よりも上にあるもの、葉っぱよりも下にある「球根」より上にあるものなどと「花」の位置を把握することができます。

では、次に、②「単語が現れる場所」に、他の要素が、どのように、どれくらい強く関係しているかを考えてみましょう。

例えば、「今日はあめ」の前の文が、「天気どうなるか知ってる？」という質問だったとすると、「今日はあめ」の後に「今日はドーナツ」と続く場合と「今日はあめ」と続く場合を考えると、「あめ」と続く場合のほうが多いと考えられます。

つまりこの文脈では、「天気」という単語の出現が、「あめ」という単語の出現に影響を与えていると言うことができます。

こちらも絵に置き換えて考えてみましょう。

チューリップの絵を描いていて、まずは、葉っぱから描き始めたとしましょう。葉っぱの位置が決まると、どこに茎を描くかが大体決まってきます。茎の位置が決まると、花の位置も決まってきます。

一方で、例えば太陽も絵に描くとすると、葉っぱや茎を描く場所に比べて、絵のどこに太陽を描くかは、花を描く位置に影響しません。

このように、ある要素がどこに現れるかに強く関係している要素と、あまり関係していない要素があることがわかります。

さらに面白いのは、この位置関係が要素自体の「解釈」にも影響を与えるという点です。例えば、「今日はあめ」の前に「今日のおやつは？」という質問があれば、「あめ」は「雨」でなく「飴(あめ)」と解釈されます。

絵の場合でも、仮に、「花」が「茎」より下の位置にあったら、「あれ、茎が折れて花が落ちてしまった絵なのかな」というように、全く同じ「花」の絵だったとしても、出てくる位置が違えば、その解釈が変わってきます。

このように、ある要素が出てくる傾向にある場所と、その要素と関係が深いものとそうでないものがわかれば、ある入力値があったときに、どのような要素の組み合わせがいいかがわかってくるというわけです。

生成AIは、大量のデータから、この要素の位置関係と要素の配置に関係の深い要因を学習し、それに着目することで、我々の指示や質問に対して、テキストや画像を生成していると考えられています。

ちなみに、このような関係をどれくらいの規模で調整することができるのかが、生成AIの能力に大きく影響することがわかっています。

生成AIの規模を表す際に、**パラメーター**という表現がよく使われますが、この値は、生成AIが言語を調節できる能力を表しています。

よりたくさん調節できるということは、それだけ豊かに何かを理解し、表現できることにつながります。

例えば、料理の調味料をパラメーターだと考えてみましょう。

塩と砂糖しか、調味料として使えない場合と、それらに加えて醬油（しょうゆ）、味噌、出汁（だし）、みりんなども使える場合とでは、作れる料理も違えば、表現できる味の豊富さにも違いが出てきます。調味料が多いほど、できることは多くなってきます。

しかし、調味料が多いということは、それだけ選択肢が増えて、考えなくてはならないことも多くなることを意味します。調味料をどう使えばいいかなど、勉強しなくてはいけないことも増えるでしょう。

似たようなことが、生成ＡＩの開発にも当てはまります。

生成ＡＩの能力をさらに高めようと、より多くのデータを使って、さらに大きなパラメーターを持つ生成ＡＩが開発されています。

一方で、小さな環境でも活用できるように、小規模のパラメーターでも、大規模なパラメーターと同様の性能を持つような生成ＡＩを開発する研究も進められています。

なお、プロダクトとして公開されている生成ＡＩの多くは、大量のデータから学んだ知識を活かしつつ、さらに、特定のタスク（例えば会話する機能）での性能を高めるため、**ファインチューニング**と呼ばれるパラメーターの微調整が行われます。

ファインチューニングについても、調味料を例に考えてみましょう。

たくさんの料理の勉強をしたことで、世界各国の調味料について知識を得たとしましょう。しかし、たくさんの調味料を知っているからと言って、必ずしも美味しいカレーを作るために必要な調味料を選ぶことができるわけではありません。

そこで、カレーのスパイスの選び方に特化して、既存のレシピからスパイスの種類や量について学ぶとしましょう。すると、カレーを作るのにどの調味料がどれだけ使われるか、いろいろなレシピから勉強できるので、それを参考に、新しいカレーを考えたり、お客さんの要望に応えたりするにはどう調味料を配合してあげればいいか、知識をよりうまく使えるようになります。

生成ＡＩもこのファインチューニングと呼ばれる過程（例では、「カレーのスパイスの選び方に特化して、既存のレシピからスパイスの種類や量について学ぶ過程」）によって、微調整してあげることで、目的とするタスクでの性能がさらに上がるというわけです。

ただし、微調整するために使うデータの質が悪いと、人が悪い癖を覚えてしまうように、逆に、性能が落ちてしまう場合もあります。

生成ＡＩの開発にデータが重要な役割を果たすと言われますが、この微調整の過程でも同じことが言えます。

生成AIは、なぜ生成する？

では続いて、生成ＡＩは「なぜ生成するか」についても考えてみましょう。

生成ＡＩが「何を生成するか」は、我々の指示や質問に応じて決まってきます。

この意味では、生成ＡＩがなぜ生成するかは、我々人間の目的や意図によるものと言うことができます。

なお、「メールの下書きを書いて」や「今、人気のスイーツは何ですか」のような、生成ＡＩへの指示や質問のことをプロンプトと呼びます。

この言葉はこれから何度も使いますので、ぜひ覚えてください。

生成ＡＩの利用方法はこれからさらに増えていくことが予想されますが、大別して次の３つの用途があると考えられます。

① 情報やアイディアを理解する
② 情報やアイディアを表現する
③ 考えを分析・整理する

一つ目に、生成ＡＩを使って、既存の情報やアイディアを理解する用途があります。

例えば、「生成ＡＩは医療でどのように使われているか、使用におけるメリットとデメリットを教えて」なとと指示すると、インターネット検索と連携している生成ＡＩは、ネット上の情報を要約して、質問に直接回答し、我々が情報やアイディアを理解する手助けをしてくれます。

２つ目に、情報やアイディアを表現する用途があります。

例えば、日常的な用途では、同窓会の出欠確認メールを下書きしたり、ビジネス用途では、打ち合わせ内容から報告書を作成したり、プロジェクトのアイディアを企画書としてまとめたりするのを手伝ってくれたります。

３つ目に、自分や他の人の考えを分析したり、整理したりする用途があります。

一例としては、生成ＡＩに、いろいろな立場からの質問・意見を出してもらい、自分以外の立場からの考えについて理解したうえで、自分の立場や意見を見つめ直すのに使用できます。

例えば、自分が高校生で理系に進むか文系に進むか悩んでいるとしましょう。

国語は得意だけど数学はいまいちなので、文系に進むのがいいかと思っているが、それだけでコースを決めていいか悩んでいる。もちろん、親や先生と相談する予定ではあるが、話す前に自分の考えをもうちょっと整理しておきたい。

そんなときに、生成ＡＩに、親の立場、先生の立場、理系を選んだ社会人、文系を選んだ社会人の立場になって、理系か文系かをどう選択したか、生成ＡＩに複数の立場からの回答を生成させることができます。

このような方法で、自分が考えていなかった視点について認識し、自分の意見を多角的に整理することができます。

このように、生成ＡＩがなぜ生成するのかは、我々の目的や用途によって決まっており、その用途には、主に、理解、表現、整理の３つがあると考えられます。

人のパートナーとしての生成ＡＩ

▼生成ＡＩと共同作業をする

生成ＡＩは今までの人工知能と違い、日常的なことから専門的なことまで、また、社会や組織レベルの目的や用途だけでなく個人レベルのものまでも、我々が普段使っている言葉で指示や質問をすることで利用できます。

ここで、我々と生成ＡＩとの関係について考えてみましょう。

個人、社会と生成ＡＩがどのような関係を持つかは、これから何度も議論し、考えていく必要があることです。

しかし、すでに生成ＡＩが普及し、利用者が増えている状況で、我々がどう生成ＡＩのことを考えるのがいいか、一度熟考してみるのは重要なことだと考えます。

生成ＡＩは、我々が指示や質問をすることで、情報や考えの理解、表現、整理を手伝ってくれます。

ただし、生成ＡＩが作成するものが常に正しいわけではないですし、自分の考えを意図通り反映してくれるとも限りません。

人に何かをお願いするときと同じで、自分が伝えたい内容と相手に伝わる内容が必ずしも一致するとは限りません。

人に何かやってもらったときには、それが自分の意図と合致しているかを判断し、場合によっては、意図を伝え直し、やり直してもらうこともあるかと思います。

生成ＡＩが作成したものにも、似たようなことが言えます。

生成ＡＩの作成したものが本当にそれでいいか、我々は判断しなくてはいけません。

また、自分の意図と違うものが生成された場合は、コミュニケーションし直して、やり直す場合や、自分で直さなくてはいけない場合もあるでしょう。

自動車の製造ラインで利用されるロボットなどが代表的ですが、「機械はそもそも特定のタスクを実行するためにプログラムされているものだから、間違えないし、指示したことを忠実に実行する」といったイメージを持ちがちです。

そのような機械が、どの程度正確にタスクをこなし、どのくらいの速さで作業できるのか。その評価は機械の開発者がすでに終え、ある程度の性能を達成したことが確認されたものを我々は使用しています。

機械が作業し終わったところで、その実行結果を変えたり、調節したりする機会は、生成ＡＩが普及する前には滅多にありませんでした。

しかし、生成ＡＩは、これまでの機械や人工知能と異なります。

生成ＡＩが何か作成したところで、それで終わりではありません。

我々が生成ＡＩの回答を吟味し、判断して、必要があればさらに修正して、自分の目的としたものを作成します。

つまり、生成ＡＩは我々に代わって何かを自動で生成するものと言うよりも、我々のパートナーになり、何かを一緒に作り上げる共同作業者として位置付けることができると考えます。

生成ＡＩとの創造における人の役割と責任

生成ＡＩとの作成過程を共同作業と考えた場合、我々の役割と責任とはどういったものなのでしょうか。

基本的には、次の４つの役割と責任があると考えます。

第一に、何を作成するか、なぜ作成するか、誰に対して生成するか、どのような目的のために生成するかを考えることです。

自分が何の目的で生成ＡＩを使うのか、その目的のために生成ＡＩを使うということがどういう意味を持つかを判断する必要があります。

さらに、そもそも生成ＡＩを使用することが妥当なタスクかどうか、判断しなければなりません。

例えば、今日の渋谷の天気を調べるのに、生成ＡＩに新しく回答を作成させる必要性は小さいかもしれません。すでに、いろいろなウェブサイトやアプリで今日の天気を知ることは可能でしょう（もちろん、質問することもできますし、複数のウェブサイトの天気情報を要約したい場合などでは有効でしょう。

一方で、「明日の天気を調べて、お勧めのコーディネートを考えて」など、調べた情報にもとづいてアイディアを出してもらうことを目的とするようなタスクは、生成ＡＩの創造性を活用する用途と考えられるでしょう。


第二に、自分の意図や目的に合致した生成ＡＩはどれかを判断できることも、重要になってくるでしょう。

先述したように、公開されている生成ＡＩの多くは、サービスの目的に特化するように、微調整されているものが多いです。

例えば、情報や事実を確認したい場合、新しい知識や可能性を創造するように調整された生成ＡＩより、既存の文書や情報にもとづいて情報を要約するように調整された生成ＡＩのほうが、目的に合致していると言えます。

今後さまざまな生成ＡＩが開発されていくと考えられますが、生成ＡＩがどのようなデータを使って学習しているか、どのようなタスクに合わせて調整されているかが公開されている場合は、それに注意しつつ、どの生成ＡＩを利用するのがいいか、もしくは、複数の生成ＡＩを利用したほうがいいのかについて、検討する必要があります。

第三に、生成ＡＩに自分の意図や目的を伝える必要があります。

生成ＡＩは、我々の目的や状況を自ら察し理解しているわけではありません。

生成ＡＩへの指示や質問の表し方によって、生成ＡＩが何をどう生成するかが変わってきます。

第四に、生成ＡＩが作成した回答を吟味(ぎんみ)し、自分が目的とするものが生成されているかを精査する必要があります。

生成ＡＩの作成したものが、事実と合っているのか、特定の立場に偏ったものでないかを確認します。

また、生成ＡＩと一緒に作ったものを誰かに見せるのであれば、その相手の立場や状況に合致したものと言えるかもチェックする必要があるでしょう。

我々が考え、判断して、場合によっては、何度も生成ＡＩとコミュニケーションを繰り返し、生成ＡＩの回答を修正する必要もあるでしょう。

そして、人がこのような役割と責任を果たし、生成ＡＩをパートナーにできるかどうかの鍵となるのが、人と生成ＡＩとのコミュニケーション手段である言葉の選択です。

生成AIと人はどう話す?:言葉の新領域

▼形式言語から自然言語へ

プログラミング言語のような形式言語が、人がコンピュータとコミュニケーションするうえでの主要手段として、長い間使われてきました。

例えばプログラミング言語を使って機械に命令を出す場合、その形式とルールに従って、正確に指示を書く必要があります。そのためには専門的な知識とスキルが必要で、どこか間違った記述をすればエラーとなり、指示を実行させることはできません。

しかし、先述した通り、生成AIの普及によって、機械とのコミュニケーションの手段が大きく変わり始めています。

生成AIは、専門的な知識がなくても、自然言語で簡単に操作できます。

自然言語で生成AIを使用できるということは、より多くの人が最先端のテクノロジーにアクセスできるということを意味します。

さらに、自然言語を介して、今まで形式言語では表現することが難しかったような指示まで、生成ＡＩに伝えられるようになるということでもあります。

プログラミング言語が誕生してまだ１００年経っていません。

一方、我々の言葉は、数千・数万年をかけて拡張し、移り変わって、感情、文章や会話のスタイル、微妙なニュアンス、文脈なども表現することができます。

プログラム言語を使った場合に比べて、自然言語を介した生成ＡＩとの対話は、より高度なコミュニケーションを実現する可能性を秘めています。

ただし、自然言語で指示を出せるということには、デメリットもあります。

何かコミュニケーションに誤りや不足があった場合、プログラミング言語を使用した場合はエラーとなり実行されません。

しかし、自然言語を介して指示を出した場合、誤りや曖昧性（あいまい）があるままでも、指示が実行されてしまうかもしれません。また、生成ＡＩに我々の意図が正確に伝わらないまま、間違った方向に対話が進んでしまう可能性もあります。

例えば、ある英語の記事を、ＵＲＬを指定して生成ＡＩに要約してもらうとしましょう。今までであれば、仮にＵＲＬの情報にアクセスできなければ、その時点で、エラー、もしくは、それを実行できない旨のメッセージが返ってきたでしょう。

しかし、情報にアクセスできないときにどうするか、ちゃんと対応をしていない生成ＡＩを使用した場合、参照先のＵＲＬにアクセスできなくても、生成ＡＩがもっともらしい回答をしてしまう恐れがあります。

もし、当該の英語の記事の内容を知らなければ、誤った情報と気付けず、そのまま誤情報を他の人にも伝えてしまうようなことがあるかもしれません。

形式言語から自然言語へのコミュニケーション手段の転換は、コンピュータと人とのコミュニケーションを新たな次元に導くものです。

この変化が、多くの人々が生成ＡＩをより効果的かつ安全に活用できる道を開く扉となるように、人と生成ＡＩとが対話するということは、どういうことなのか、普段使っている言葉について、再度、我々は考える必要があると考えます。

一方通行のコミュニケーションから対話へ

生成AIとのコミュニケーションにおけるもう一つの大きな変化は、今まではある意味一方通行であったコンピュータとのコミュニケーションが、生成AIとのコミュニケーションでは対話ができるようになったことです。

生成AIとの対話では、指示を出し、返答を受け、さらにその返答に対して指示を出すなど、会話でやりとりすることができるようになりました。

対話ができるということは、一人の思考や考えだけでなく、相手の意見や考えを踏まえて会話を進展できるということです。

対話では、相手と意見や思想のやりとりを交わすことで、一人では到達しにくい、行動や意識を変化させるような創造的なコミュニケーションが可能となります。

生成AIに一方的に指示を出すのでなく対話ができるということは、生成AIと我々の間でシナジー効果を生み出す器と場を提供するという観点から重要なものになっていくと考えます。

生成AIとのコミュニケーションの基本

第3章でより詳しく解説しますが、生成AIとのコミュニケーションとは一体どういったものなのでしょうか。一つ具体例を見てみましょう。

ここでは、生成AIに、表現の言い換えを指示してみます。

プロンプト1-1　丁寧な表現への書き換え

指示
文が与えられた時に、それをより丁寧な表現に書き換えてください。

例
原　文：ファイルを送ったのでチェックしてください。
丁寧な文：ファイル送らせていただきます。ご査収くださいませ。

入力値
原　文：来週打ち合わせしてほしい。その前に、企画書作っておいて。

丁寧な文：

このプロンプトに対して、生成ＡＩは次のように回答しました。

生成AIの回答

来週、打ち合わせの機会をいただければ幸いです。その前に、企画書のご準備をお願いいたします。

生成ＡＩとの会話は、多くの場合、自分の指示や質問を生成ＡＩに伝えることから始まります。人間に指示や質問をする場合と同様に、指示だけを伝える場合もあります。指示に加えて、例を示して、生成ＡＩに期待している回答がどういったものかを伝えたりもします。今回のプロンプトにも、「丁寧な表現に書き換える」とはどういうことを意図しているか、一つ例を生成ＡＩに提示しています。

また、背景やバックグラウンドなどをプロンプトに含める場合もあります。

さらに、生成ＡＩとは対話ができるので、先に出した指示や質問に対する応答を踏まえて、続けて会話することもできます。

例えば、生成ＡＩの応答の一部が曖昧だったら、その具体例を考えてもらうこともできますし、自分が想定していた回答に比べて、かたい文書が返ってきたら、それをもっとやわらかい文書にするために返答し直してもらったりできます。

このように表現すると、人と生成ＡＩとのコミュニケーションは、人同士の対話と同じような気がしてきますが、生成ＡＩと対話するうえで認識しておきたい、いくつかの違いもあります。

生成ＡＩとのコミュニケーションと、人とのコミュニケーションってどう違う？

人同士のコミュニケーションの基本とは

第4章で詳しく触れますが、人同士のコミュニケーションでは、大きく分けて、何について話すのか、誰と話すのか、また、どのような様式を使って話すのかが、人と言葉を交わすうえで重要だとされています。

その理由は、これらの3つの要素が、人が会話でどの言葉を選ぶかに強く影響すると考えられているためです。

生成ＡＩとの会話でも、同じことが言えるのでしょうか。

▼ペルソナ変身：生成AIは誰にでも何にでも⁉

人同士のコミュニケーションと、人と生成AIとのコミュニケーションの違いの一つは、生成AIとのコミュニケーションでは、生成AIに、さまざまな役を演じさせることができることです。

人同士のコミュニケーションでは、誰と何をどのような様式で話すかを、相手によって意識的もしくは無意識のうちに選択し、話題や話し方などを選んでいます。

例えば、両親と話す場合と、会社で同僚と話す場合とでは、内容や話し方が変わってきます。

これに対して、生成AIとの対話では、生成AIの対話者である我々が、生成AIと自分の立場を設定して会話をすることができます。

例えば、「あなたは学校の先生、私は生徒です」と生成AIに伝えて会話をスタートすれば、生成AIは学校の先生の立場になって応答してくるというわけです。

人と対話をするときは、その状況によって与えられるような設定が、生成AIとの対話においては、我々が意識的に対話のコンテクストを選択・設定することができます。

▼ 24時間いつでもどこでも

また、人同士の会話は、対話者のいる場所や時間によって影響を受けます。例えば、カフェ、学校、会社、自宅など、話をする場所次第で、対話の話題やスタイルなどの選択に違いが出てくることがしばしばあります。

また、何か話をするとしても、時間帯や相手の都合などで、会話したくてもできないような場合もあります。相手が海外にいれば時差の都合で予定が合わないこともありますし、打ち合わせがすでに入っていることもあります。

インターネット経由で話すような場合もありますが、一般に、人と直接対話する場合、相手と場所や時間を共有することが前提になります。

一方、生成ＡＩとの対話では、人との対話と同じ意味では、場所や時間を共有しません。生成ＡＩと対話する場合、人と話す場合に比べると、実際に対話する場所や時間が、話題やスタイルに与える影響は小さいと考えられます。

これは、生成ＡＩとの対話であれば、我々の選択次第で、話題、スタイル、対話する場所や時間を設定できることを意味します。

何か面白いアイディアが浮かんでも、真夜中に同僚と話して企画を一緒に考えてもらったり、聞いてもらったりするのは難しいですが、生成ＡＩとであればそれも可能です。

生成ＡＩとの対話では、人同士に比べて、会話の設定の選択肢がより柔軟になります。一方でこれは、我々が考慮すべき要素がより多くなるということにもなります。人との対話では、場所や時間を共有することで説明しなくて済むことを、生成ＡＩとの対話では説明する必要が出てくる場合もあります。

例えば、「現在の首相は誰ですか」と生成ＡＩに質問する場合、日本で質問したときと、オーストラリアで質問したときとで、期待される回答が違ってきます。

目的に合致した回答を引き出すために、生成ＡＩには余分に説明しなくてはいけない場面もあるでしょう。

▼生成ＡＩがまだ理解できない領域

生成ＡＩと自然言語でコミュニケーションできるようになったのは大きな革命ですが、人同士の対話と同じようなレベルではまだ対話できない領域もあります。

人同士のコミュニケーションには、言外の意味など、テキストで表されているもの以上の多くの要素が含まれており、これらは生成ＡＩがまだ十分に理解・生成できない領域です。

例えば、特定の表現が、個人間で共有されている経験によって特別な意味を持つような場合があります。

「沖縄に行ってくる」と親しい友人に言ったときに、友人が発話者は沖縄出身だと知っていれば、「ああ、実家に行ってくるのか」と解釈できます。

一方で、生成ＡＩの場合、発話者の出身地を伝えなければ、「旅行か出張に行く」という視点から会話してしまう可能性が高いでしょう。

生成ＡＩとは人と同じように自然言語で対話できる分、人同士のコミュニケーションと全く同じように話せばよいと思ってしまうことがあるかもしれません。

どのような点が人との対話と似ていて、どこが現状では違うかを意識したうえで、生成ＡＩと対話する必要があります。

▼ 目的にもとづく選択とパターンにもとづく選択

さらに、人が言葉を使う場合と、生成ＡＩが生成する場合とで決定的に異なるところは、人が何かしらの目的や意図を表すために言葉を選んでいるのに対して、生成ＡＩは膨大なデータから学習したパターンにもとづいて、言葉を選んで会話を生成しているということです。

人が目的にもとづいて言葉を選択するということは、言語体系の変化に大きな影響を与えてきたと考えられます。例えば、新しい言葉が登場するのも、今までの表現を使用するだけでは、達成しにくい目的、表しにくい意味がある場合に起こります。

人同士の対話では、お互いの意図や目的が交錯しながら対話が形成されていきますが、生成ＡＩとの対話において、生成ＡＩは何かの目的を持って回答しているのではなく、データから学習したパターンにもとづいて回答しているということを意識しつつ、対話することが重要と考えられます。

人の対話力で左右される⁉　生成ＡＩの能力と可能性

▼生成ＡＩの能力と可能性

先述したように、生成ＡＩの性能は、パラメーターの大きさ（調味料の数）や、ファインチューニング（カレーレシピに特化するように微調整）の方法などによって変わります。

このような生成ＡＩの開発段階で決定する性能がある一方で、もう一つ、生成ＡＩの能力に大きな影響を与えるのが、我々の生成ＡＩとの対話力です。

今までの人工知能は、使用者によって大きくその性能が変わるということはありませんでした。

人工知能が出した結果をどう解釈するかは、使用者の判断や機械を使用する熟練度などによって変わってきます。

しかし、Aさんが利用するときは、画像を99％の確率で正しく判断してくれるけれど、同じ方法でBさんが使ったときは、80％しか正しく判断してくれないということはありません。

使い手によって性能が変わらないのは、指示方法や入力フォーマットが前もって設定されていて、決まった出力を出すようにデザインされているからです。

しかし、生成AIとの対話の場合、自然言語が使われるので、同じ内容の指示や質問をする場合でも、人によってその表し方が違ってきます。

例えば、仕事で海外の取引先にメールを書くので、まず、日本語で伝えたいことを書いて、それを生成AIに英語に翻訳してもらうとしましょう。

ある人は、「以下の文を英語にして」と翻訳してほしい日本語文だけを生成AIに伝えるかもしれません。

別の人は、「仕事のメールで使うので、ビジネス英語っぽい翻訳をしてもらいたい」と翻訳の指示をするかもしれません。

生成AIは、入力された言葉に応じて回答を生成します。

したがって、我々が生成ＡＩにどのように指示や質問を伝えるかは、生成ＡＩが作成する回答の正確性やクオリティに大きな影響を与える要因の一つになると考えられます。生成ＡＩの能力や可能性には、生成ＡＩ自体が持つ性能に加えて、我々が対話するときに使う言葉の選択が大きな影響を与えます。

▼言葉の選択が及ぼす生成ＡＩの能力への影響

では、もう少し、言葉の選択が生成ＡＩの能力に影響を及ぼすとはどういうことかを見ていきましょう。例えば、次の指示を生成ＡＩにしてみます。

プロンプト１-２　評価文の分類（指示の詳細化なし）

次に与えられた文を、肯定的な評価を含む文、否定的な評価を含む文、評価を含まない文のいずれかに分類してください。

文1：じゅんさいは、美味しい
文2：じゅんさいなおひとやな

この質問に対して、生成AIは次のように回答しました。

生成AIの回答

文1は肯定的な評価を含む文、文2は評価を含まない文となります。

では、次のようにプロンプトを変えてみます。選択肢は同じです。

プロンプト1-3 （指示の詳細化あり）

次の文には「じゅんさい」と言う表現がいずれも含まれています。まず、「じゅんさい」が表す意味について分析し、次に与えられた文を、肯定的な評価を含む文、否定的な評価を含む文、評価を含まない文のいずれかに分類してください。

文1：じゅんさいは、美味しい
文2：じゅんさいなおひとやな

この質問に対して、生成ＡＩは次のように回答しました。

生成ＡＩの回答

文1の「じゅんさい」は、食材としての「じゅんさい」を指しています。この文は、「じゅんさい」の味について評価しており、肯定的な評価を含む文であると言えます。

文2の「じゅんさい」は、転じて「ぬらりくらりしている人」を指しています。この文は、「じゅんさい」の性質について評価しており、否定的な評価を含む文であると言えます。

したがって、文1は肯定的な評価を含む文、文2は否定的な評価を含む文となります。

プロンプト１-２の回答もプロンプト１-３の回答も、同じ生成ＡＩを使って作成されたものです。

しかし、文２についての分析は、両者で異なるものになっています。

実は「じゅんさいな」という言葉は、京都などで、じゅんさい（スイレン科の植物）を箸で掴みにくいことから、それが転じて「捉えどころがない」「どっちつかずで優柔不断」などの否定的な意味で使われるそうです。

したがって、プロンプト１-３に対する生成ＡＩの回答が正解で、プロンプト１-２の回答は不正解です。

プロンプトの違いは、１-２では「分類をするように」とだけ生成ＡＩに伝えたのに対して、１-３では、使用されている表現についてまず調べて、次に、分類をするよう、指示の過程も含めたところだけです。

この違いによって、生成ＡＩの能力には違いが出ています。

生成ＡＩの能力や可能性を引き出すうえで、指示や質問に、どのような言葉を含めるか、あるいは含めないかの選択が、直接的に生成ＡＩの能力に影響を及ぼします。

なお、生成ＡＩの能力やスキルを引き出すように、生成ＡＩへの質問や指示（プロンプト）を最適化することを、**プロンプトエンジニアリング**と呼び、新たな研究領域として着目され、日々多くの研究成果が発表されています。

本書では、プロンプトエンジニアリングのテクニックも使いつつ、さらに生成ＡＩの能力やスキルを、自分の目的に合わせて引き出し、我々が生成ＡＩとより広く深い対話ができるよう、「言語学的知見にもとづいて、「生成ＡＩスキルとしての言語学」として生成ＡＩとのコミュニケーション方法を紹介していきます。

生成ＡＩと対話する責任って？

▼生成ＡＩの対話者として知っておきたいこと

本章では、生成ＡＩとは何か、生成ＡＩと人との関係はどういったものか、生成ＡＩとの対話と、人同士の対話とではどう違うのか、さらに、言葉の選択が生成ＡＩの能力を引き出すうえで、どう関わってくるかなどを見てきました。

これらに加えて、生成ＡＩと対話をするうえで、いくつか知っておいていただきたいことがあります。

▼入力前に確認！：データプライバシーとセキュリティ

まずは、生成ＡＩに入力する情報についてです。

生成ＡＩに入力された情報の扱われ方を、我々は理解する必要があります。生成ＡＩサービスによって、入力された情報がどのように扱われるかが異なります。入力した情報をモデルの改善に利用するか、しないかを選べるサービスもあります。入力した情報がモデルの改善に利用される場合、何を入力していいのか、してはいけないのか、個人情報や機密情報を安全に保てるように、入力内容を判断する必要があります。

例えば、第三者にデータが閲覧される可能性があるようなサービス設定では、新しい企画のアイディアだったり、会社の売上情報であったり、四半期の売上の打ち合わせメモなどを入力すべきではないでしょう。

また、友達とのやりとりのようなものでも、個人が特定できてしまうような情報はプロンプトに書かないほうがよいでしょう。

個人情報やデータのプライバシーにより配慮された閉じた環境で、生成ＡＩを利用できるサービスもあります。

生成ＡＩとの対話が、第三者には閲覧できない環境になっており、個人が保管している文書ファイルやメールなども利用しつつ、生成ＡＩと会話できるサービスもあります。自分が選択した生成ＡＩが、どういった前提でサービスを提供しているか、把握することが重要です。

▼機械でも間違う!?：ハルシネーションって何？

生成ＡＩは、与えられたデータから学習した言語モデルにもとづき、我々の指示や質問への回答を生成しますが、回答が必ずしも正しいものとは限らないということを理解したうえで使用する必要があります。

生成ＡＩが、事実とは確認できないことを、まるで事実であるかのように生成する現象のことをハルシネーションと呼びます。

ハルシネーションを減少させる技術や手法も開発・利用されてきていますが、ハルシネーションが起こる可能性があることを前提として、生成ＡＩと対話することが重要です。

生成ＡＩが出した回答を誰かと共有するような場合は、特に、ハルシネーションが起きていないかどうか、確認するようにしましょう。

偏見の拡散防止！

生成ＡＩの問題として、学習に利用されたデータに存在する偏った意見やものの見方を、生成ＡＩが回答を生成する際に、引き継いでしまう可能性があります。

例えば、生成ＡＩに限ったことではありませんが、学習データで「看護師」がトピックの文章で、女性の代名詞が利用される傾向が強かったために、人工知能が作成した文で、看護師について書かれたものは女性を表す代名詞が選択される傾向がありました。

このような反省をもとに、多くの人工知能には、偏見を拡散しないようにする技術が組み込まれています。しかし、全ての人工知能がそのような技術を実装して公開されているとは限りません。

生成ＡＩと一緒に作ったブログ記事などを一般に公開する際は、特に、偏った立場からの記述がないかどうか確認しましょう。

他にも、著作権の問題、生成される回答の安全性の問題など、我々が生成ＡＩを使用するうえで考慮すべきことは多々あります。

このような問題点があるということを理解したうえで、生成ＡＩと対話するようにしましょう。

話して知ろう生成ＡＩ

本章では、生成ＡＩの仕組みやその用途、対話するうえでの注意点を挙げました。しかし、生成ＡＩがどんなものかを知るには、やはり、実際に使用してみることが一番です。使用してみて、どのようなことができて、どのようなことだと間違ってしまう可能性があるかなど、自分で試してみましょう。

先述した通り、生成ＡＩは我々が普段使っている自然言語で使用することができます。Google の Bard（https://bard.google.com）や OpenAI の ChatGPT（https://chat.openai.com）など、複雑な手続きをしなくても、ブラウザですぐ使用できる生成ＡＩも多くあります。

生成ＡＩと対話するとはどういうものか、ぜひ、体験してみてください。

第2章
言語学がなぜ必要？

生成AI時代になぜ言語学？

▼生成AIと言語学の交点

本章では、生成ＡＩと人との対話に、言語学的知見がなぜ必要になるのか、その理由を概説していきます。

また、言語学とはそもそもどういったものなのか、どのような言語理論が生成ＡＩと対話をするうえで役立つかについて見ていきます。

生成ＡＩ時代に言語学的知見が役立つ理由は、大きく分けて3つあります。

① 生成AIとのコミュニケーションが形式言語でなく自然言語で行われるから
② どのように指示や質問（プロンプト）を表現するかによって、生成AIの知識やスキルをどこまで活かせるかが変わってくるから

③言語学の分析方法を使って、生成ＡＩが作成した回答を評価し、改善することができるから

本書においては、生成ＡＩを使用する際に重要となる①と②を中心に、言語学の知識をどう生成ＡＩとの対話に活かせるかを見ていきます。

言語学で培われてきた成果を生成ＡＩとの対話で利用できるようなかたちで適用し、生成ＡＩとの対話スキルとして紹介していきます（なお、③は生成ＡＩの開発の際に、生成ＡＩがどの程度自然に会話できるかなどを評価するために重要になります）。

「ライト」としての言語学

言語理論に限ったことではありませんが、「理論」と言うとなんだか難しく聞こえてしまうこともあるのではないでしょうか。

私は「理論とは何か」を説明しようとするとき、理論を懐中電灯によく例えます。

暗闇の中にボールが転がっているとしましょう。

懐中電灯で照らせば、ボールは暗い中でも見えるようになります。

理論も懐中電灯と似ていて、なんだかよく見えにくい対象があるときに、それを特定の立場から照らすことで、見えるようにするものです。

対象が言語であれば、言語という曖昧で移り変わるものをどうやって見たらいいか、それを照らすのが、言語理論の役割になります。

ただ、懐中電灯でボールを照らすとき、ボール全体を照らせるわけではありません。ライトで照らせる面がある一方で、影になってしまう部分も出てきます。

実は理論にも同じことが言えます。

理論は特定の立場や考えにもとづいて組み立てられます。

例えば、言葉を話す能力は生まれたときにはすでに備わっていると考える立場から言語を分析していくのと、言語は生まれた後で習得される能力と考える立場とでは、同じ対象でも見え方が違ってきます。

どのような言語理論が、目的とする「側面」を照らすうえで有効かを考えて、言語学的知見を生成ＡＩとの対話に活用していく必要があります。

▼生成AIとの対話スキルとしての言語学

では、生成ＡＩの能力や知識を引き出すために、生成ＡＩと人との対話のどのような側面を見ることが有益なのでしょうか。

生成ＡＩの利用方法が、指示や質問をして、それに回答させること、と考えると、次の４つが重要になると考えられます。

① 対話の状況（コンテクスト）をどのように設定し、生成AIに伝えるか
② 指示や質問をどう表現するか、どのような内容を含めるか
③ どのような様式で生成AIに回答させるか
④ どのように例を生成AIに示すか

これらはどれも、生成ＡＩが指示や質問に回答するのに大きく影響を与えるものです。こ

れら4つの側面から、生成AIと対話するのに有益な知見を提供することが、「生成AIスキルとしての言語学」にとっての第一の目標と考えています。

なお、これらの側面は、プロンプトエンジニアリングにおいても、生成AIの能力を引き出すために重要な要素として取り上げられることが多くあります。

4つの側面を言語学的立場から照らしていく前に、本章では、言語学とはどういったものので、言語理論にはどのようなものがあるかを見ていきます。

言語学ってそもそも何？

言語学って？

生成ＡＩと人との対話の研究はまだ始まったばかりですが、言語学では、人と人とのコミュニケーション手段としての言葉について研究を行ってきました。

近代言語学の土壌は、19世紀後半から20世紀前半にかけて、フェルディナン・ド・ソシュールらによって構築されました。

以来言語学では、言葉の機能、構造、意味、語彙(ごい)、文法、語用、習得過程などさまざまな側面から、言葉の特徴や本質について研究を行っています。

一口に言語学と言っても、さまざまな理論や分野があり、その目的も多岐にわたります。何が文として正しいか、もしくは間違いなのか、そのルールを説明するのが言語学と考えられることがありますが、それだけではありません。

例えば、通時言語学では、言語が時間の流れとともに、どのように移り変わってきたかを解き明かすことを目的としています。比較言語学や対照言語学では、言語間の共通点・相違点を明らかにしようとします。

応用言語学は、教育などの関連分野で、言語学的知見を活用することを目的としています。言語学を記号論の一種と捉えて、言葉だけでなく、絵や建築デザインが表す「意味」を分析するためのツールとして利用するような研究もあります。

言語をどうやって研究するのか、その方法もさまざまです。

コーパス言語学では、たくさんのテキストをあるデザインにもとづいて集めて、「コーパス」と呼ばれるテキストのデータベースを作ります。例えば、『現代日本語書き言葉均衡コーパス』は、現代日本語書き言葉の縮図となるように、ある年に出版された本や雑誌などから、無作為にサンプルを選んで、その一部を収集し、編纂されています。コーパスを作成したら、それを使って、語彙や文法の使用パターンを分析します。

心理言語学では、コントロールされた実験環境を作って、ある刺激を与えた場合に、それが言語活動にどのような影響を及ぼすかを研究します。

このように言語学では、さまざまな目的と手法にもとづいて研究をしています。

言語学の対象って？

では続いて、言語学が照らそうとする言葉の対象とは何かを見ていきましょう。

言語学の対象は、言葉の層として捉えることができます。言葉には、大別して2つの層があると考えられています。

一つは、文字や音韻(おんいん)など、言葉の記号の層（表現の層）、もう一つは、文字や音韻を使って表現される言葉の内容の層（コンテンツ層）です。

コンテンツ層は、さらに、語彙や文法の層と、意味の層で成り立っていると考えられています。

さらに言葉は、分野や対話者の関係、もしくは、コミュニケーションの様式などのコンテクストによって影響を受けます。

まとめると次ページの図のようになります。

図を参照しながら、具体例を見ていきましょう。

▸ 言語学の対象

コンテクスト
活動
話し手・聞き手
様式
注文
お客さん・店員さん
会話

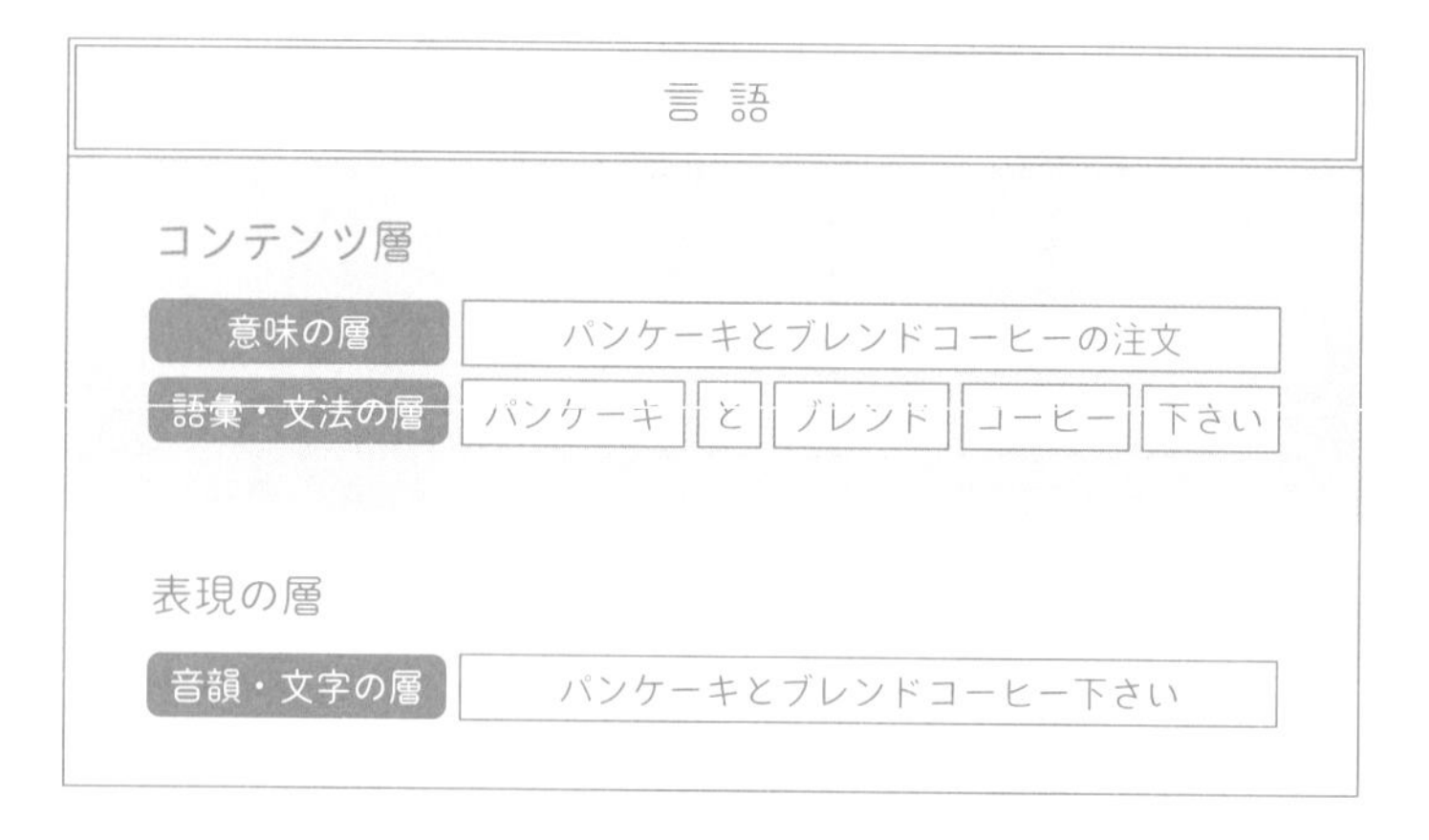

言語
コンテンツ層
意味の層
パンケーキとブレンドコーヒーの注文
語彙・文法の層
パンケーキ
と
ブレンド
コーヒー
下さい
表現の層
音韻・文字の層
パンケーキとブレンドコーヒー下さい

まず、コンテクストとして、あるお客さんがスイーツを注文するために店員さんに話しかけるところとしましょう。

このコンテクストにおける活動は「スイーツの注文」、対話者の関係は話し手が「カフェに来たお客さん」、聞き手が「カフェの店員さん」、コミュニケーション様式は「会話形式」。お客さんはメニューを見て、注文したいものを決めます。

このコンテクストの場合、意味の選択はどうなるかと言うと、例えば、お客さんは、パンケーキとブレンドコーヒーを注文することにしたとしましょう。ここで、希望するものを要求することが、言葉として表現したい意味として選択されます（意味の層）。

語彙・文法の層はどうでしょう。語彙・文法の層では、この意味（パンケーキとブレンドコーヒーを注文したい）をどのような語彙と文法を使って表すかが選択されます。

選択肢はさまざまありますが、語彙として「パンケーキ」「ブレンド」「コーヒー」「下さい」などの内容語と、助詞の「と」が機能語として選ばれたとしましょう。

文法について考えると、注文するのに、質問文や命令文の構造を使って表すことができます。

ここでは、命令文の構造を使って「下さい」と注文することにしたとしましょう。続いて表現の層です。この層では、語彙・文法の選択が、文字か音声で表されます。カフェのお客さんと店員さんの会話例なので、語彙・文法での選択が音声を使って「パンケーキとブレンドコーヒー下さい」と発話され、注文が行われます。

このように言語学では、言葉をいくつかの層からなる体系として捉えて、文字、音韻、語彙、文法、意味、さらに、意味に影響を与えるコンテクスト、もしくは、それぞれの関連性を対象として研究します。

では、言語学では、これらの対象をどのような観点から照らすのでしょうか。

▼言語学における言葉の見方：構造主義と機能主義

先述したように言語学にはさまざまな理論がありますが、そのうちの多くは、構造主

義的立場と**機能主義的立場**のうちのどちらか、もしくは両方が根底にあります。
どちらもあまり聞き慣れない用語かと思いますので、簡単に説明しておきます。

構造主義的な立場の言語学では、言語を体系的な構造として捉えます。言葉がどんな要素からどのように構成されているかを研究することで、言語の規則性を解明しようとします。

構造主義的な立場から表現の層を見る場合、意味の違いに影響する最小単位の音素が、どのように配置されているか、交替できるか、変化するかなど、その規則性を解明します。語彙を見る場合は、単語がどのような要素から構成されているか、また、動詞の活用など単語がどのように変化するか、その規則性に着目します。

文法を見る場合は、文が単語や句からどのように構成されているか、文法規則について明らかにします。

このように、構造主義的な立場では、言葉のかたちを出発点として対象を研究します。

一方、機能主義的な立場の言語学では、言葉の役割から対象にアプローチします。

例えば、英語の陳述文（She is a linguist）と質問文（Is she a linguist?）の違いについて考える場合、構造主義であれば、「she」と「is」が現れる順番に着目して違いを説明します。一方で、機能主義的立場であれば、まずは、陳述文は、情報を提供するために主に利用される選択肢である一方、質問文は、情報を要求する場合に利用される選択肢だと考えます。そのうえで、これらの選択肢を表すときに利用される構造は何かを説明します。

機能主義的立場では、言葉の機能にはどのようなものがあるかを特定し、その機能が、文法や語彙によってどう表されるのか、また、文法や語彙が、文字や音声によってどのように表現されるかを分析することで、言葉の対象にアプローチします。

ここまで、言語学にはどんな分野があるか、言語学の対象とは何か、構造主義的立場と機能主義的立場とはどのようなものかを見てきました。

これらを踏まえて、生成ＡＩとの対話をより広く深いものにするためには、どのような言語学の立場からアプローチするのがいいかを考えてみましょう。

選択肢として言語を考える

▼生成AIとの相性がいい言語理論なんてあるの？

生成ＡＩと人との対話について考える場合、例えば、生成ＡＩが文法的に正しい文を生成できるかどうかを評価するには、言葉の規則性に着目する構造主義的な立場の言語学が適していると考えられます。

一方で、生成ＡＩの能力や知識をより引き出すような言葉の使い方はどういったものかを探求する場合、ある目的を達成するために必要な言葉の選択に着目する機能主義的な立場からアプローチするのがよいと考えられます。

本書の読者は、仕事や教育などで、生成ＡＩを使用するために、どのような言葉の選択がいいかを知りたいという方が多いでしょうから、機能主義的な立場をとる言語学の一つ、選択体系機能言語学（Systemic Functional Linguistics、以下ＳＦＬ）の知見を使って、生成ＡＩ

との対話スキルについて見ていきます。

SFLは、M・A・K・ハリデーによって1960年代に提唱され、主にイギリスやオーストラリアを中心に発展してきた理論です。この言語理論の特徴は、言語を可能性、もしくは、選択肢の体系として捉えるということにあります。

ここで言う「選択肢の体系」とはどういうことでしょうか。

朝の挨拶をする場面を例に考えてみましょう。

挨拶をするときに、例えば次のような言葉の選択肢が考えられます。

①おはようございます
②おはよう
③おは！
④おはyoo
⑤GM（Good Morning）
⑥おはよーさん

同じ目的に対して、それを表すことができる表現が複数あることが我々の言葉にはよくあります。

なぜ、選択肢が一つでないことが多いのでしょうか。

例えば、「おはようございます」「おはよう」「おは！」では、話し手と聞き手の対人関係の親密さによって選択できるものが変わってきます。

また、親しい間柄でも、オフィスなら、「おはようございます」を選択するような場合もあるでしょう。

朝、電車で友達と会ったときには「おはよう」を使うけれど、同じ友達に対してSNS上では「おはyoo」や「GM」を選択するかもしれません。

さらに、普段は「おはようございます」を選択するが、関西出身の友達と会うときには、無意識に「おはよーさん」を選択しているというように、どのようなコミュニティーに属して会話するかによっても選択は変わってきます。

同じ人同士、同じ場面であっても、今までは「おはようございます」を使っていたのに、話し手と聞き手の距離が縮まったことで「おはよう」に変わっていくこともあります。

一方で、「おはよう」と挨拶の選択を変えることが「ああ、私とあなたの距離は、おはようございますではなく、おはようと言える距離に変わるのですね」と対人関係をより親密にするような場合もあります。

このようにSFLでは、ある意味を表したいときに、どのような選択肢があるか、それぞれの選択肢が他の選択肢とどう関係しているかという観点から言葉を捉えようとします。この観点から、「言語は可能性である」とか「言語は選択肢の体系である」と考えられています。

言語を選択肢の体系と考えると何が見えてくる?

では、言葉を選択肢の体系と考えると、どのようなメリットがあるのでしょう。

一つ目は、言葉を解釈しようとするときに、使用された表現だけでなく、選択肢としては可能なのに選ばれなかった選択肢も考慮したうえで、言葉の意味を解釈することができることです。

先ほどの朝の挨拶の例を使って考えてみましょう。

「おはよう」という表現が、「近い関係での朝の挨拶」という意味を持つことができるのは、我々が「おはようございます」という選ばれなかった選択肢があることを知っていて、初めて成立する解釈です。

もしも、「おはよう」という表現しか朝の挨拶の選択肢として知らなければ、この解釈はできません。

２つ目のメリットは、言葉を選択肢の体系として捉えることで、ある目的が選択された場合に、どの選択肢が選ばれる傾向にあるかを数値化して説明することができるようになるところです。

例えば、小論文の課題で、高い評価を受けた論文と低い評価を受けた論文があるとしましょう。

小論文を書くときにどのような言葉の選択があるかがわかっていれば、評価が高いものと低いものとでどう言葉の選択が違うかを分析することができます。

例えば、ヘビについて説明している次のテキスト①と②を比べてみましょう。

①爬虫綱有鱗目ヘビ亜目に分類されるものは、ヘビです。トカゲはヘビと類縁関係にあります。
②ヘビは、爬虫綱有鱗目ヘビ亜目に分類されます。ヘビは、トカゲと類縁関係にあります。

テキスト①と②で、どちらが読みやすいと感じたでしょうか。これらの文は、全く同じ情報を含み、ほぼ変わらない語彙を使って表現されています。

しかし、おそらく、②のほうが読みやすいと思った方が多いのではないでしょうか。

①と②の違いは、どの表現を文の主題に選択するかという点にあります。

一般的に、情報が整理されているテキストでは、テキストの主な話題か、前の文で与えられた情報を、次の文の主題として選択する傾向にあることがわかっています。

一方で、うまく整理されていないテキストでは、主題の選択に一貫性が見られないこともわかっています。

そこで①と②の主題がどのように選択されているかを見てみましょう。

①「爬虫綱有鱗目ヘビ亜目に分類されるものは……」→「トカゲは……」
②「ヘビは……」→「ヘビは……」

テキスト①では、「爬虫綱有鱗目ヘビ亜目に分類されるものは」が主題になってテキストが始まり、次の文では「トカゲ」が主題になります。

一方で②では、最初の文の主題が「ヘビ」で始まり、次の文でも、すでに前文で出てきた「ヘビ」が引き続き主題となっています。

このような主題の選択の仕方に、高い評価を受けたテキストと低い評価を受けたテキストでは違いがあるとわかれば、どのように主題の選択をすることが上手な小論文を書くコツなのか、説明することができます。

▼ 生成AIとの対話における言葉の選択

さて、すでにお気付きの方もいらっしゃるかもしれませんが、生成ＡＩがテキストを生成する仕組みと、ＳＦＬの言語を選択肢の体系として捉えるアプローチには共通しているところがあります。

第1章で概説した通り、生成ＡＩがテキストを生成する仕組みの根幹となっているトランスフォーマーは、ある要素がどこに現れるかと、その要素がその場所に現れるのに他のどんな要素がどのくらい・どのように関係しているのかを大規模データから学習し、テキストを生成しています。

同様にＳＦＬでも、言葉の要素をさまざまな層の選択肢として捉えて、どのような目的や条件が、言葉の選択に影響するかを特定することを目的の一つとしています。

この言葉の選択に何がどのように影響するか着目するという類似点を考えると、ＳＦＬで、人と人とのコミュニケーション手段としての言語を分析することで培われてきた理論や分析方法を、生成ＡＩと人との対話に適応するのは、親和性が高いと考えられます。

しかし、言語理論はあくまで人と人とのコミュニケーション手段として言葉を見てきたものです。生成ＡＩと人との対話という新しい領域に適用するにあたって、再構築する必要がある部分もあるかもしれません。

例えば、人と人とのコミュニケーションの場合は、「物語であれば、読み手を楽しませる」というように、話し手と聞き手が何らかの目的や機能を想定して、言葉を選択しています。

しかし、生成ＡＩ自体は、特定の目的や機能を想定して言葉を選んでいるわけではありません。生成ＡＩの使い手である我々が、対話における言葉の機能を位置付ける必要があります。

しかしそもそも、言葉の機能とはどういったものなのでしょうか。

言語の3つの機能とは

▼人と人との対話における言葉の役割って？

生成ＡＩ自体が対話の目的や機能を設定するわけではないと説明しましたが、人と人とのコミュニケーションでは、言葉はどのような機能を持っているのでしょうか。

一般的に、「機能」は**付帯的**なものと**内在的**なものに区別することができます。両者には関連性があり厳密に区別できるものではないのですが、付帯的機能とは、使用目的から見た機能であり、一方、内在的機能とは、対象にそもそも備わっている働きのことを指します。

例えば、車の機能について次ページの図を見ながら考えてみましょう。

車の付帯的機能は使用目的から考えるので、人や物をある場所から別の場所に移動させることなどと説明できるかと思います。

▶「機能」の見方

付帯的 ＝使用目的から見た機能

例：人や物を運ぶ

内在的 ＝対象にもともと備わっている機能

例：アクセルを踏むと進む

一方で、内在的機能は、車にもともと備わっている機能のことなので、例えば、「アクセルを踏むと進む」「ハンドルを切ると曲がる」などと言うことができます。

では、言葉について考えてみましょう。

付帯的な言葉の機能は、物・サービスや情報を提供したり、要求したり、人・物・出来事を評価したりと、我々は言語をさまざまな用途で使用します。

一方、言語の内在的な機能、つまり、言語にそもそも備わっている働きとはどのようなものでしょうか。

ＳＦＬでは、言語には次の３つの内在的な機能があるとされ、これらをまとめて言葉

のメタ機能と呼んでいます。

① **経験を解釈する機能**（観念構成メタ機能）
② **対人関係を築く機能**（対人的メタ機能）
③ **情報・考えを整理して会話や文章として形成する機能**（テキスト形成メタ機能）

では、それぞれどのような機能を指すのかを見ていきましょう。

▼ 経験を解釈する機能

何かを言葉にするということは、我々が物理的、もしくは、精神的な世界で経験したことを解釈することにつながります。

例えば、授業参観で、国語の授業を見せてもらったとしましょう。

この経験を何人かの参観者に言葉にしてもらうと、次のようなものが出てくるのではないかと思います。

▶ 言葉の3つのメタ機能

経験を解釈する機能

先生が、上手な
話し方について
説明していた

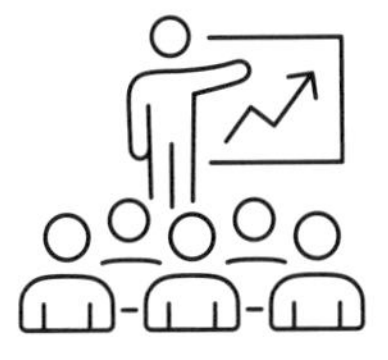

生徒が、
先生の話に
聴き入っていた

解釈 ①

解釈 ②

対人関係を築く機能

東京のお父さん！

会話や文章として形成する機能

タイムラインで
出来事を関連付け

2001年、プロジェクト発足
2002年、ver.1 リリース
2004年、……

①先生が、上手な話し方について説明していた
②生徒が、先生の話に聴き入っていた

授業参観で経験した出来事は、どの参観者も同じものと考えられます。

この経験から、①では、「先生」「上手な話し方」が経験の要素として取り出され、「説明していた」という行為と関連付けられて解釈されています。

一方②では、生徒の視点からの経験が表されており、「生徒」「先生の話」が経験の要素として取り出されて、「聴き入っていた」という行為と関連付けられて解釈されています。

このように、言語化するという行為は、内在的に、ある経験から、特定の要素を捉えて、それらがある行為や出来事においてどんな役割を持っているかを解釈することにつながります。

また、①と②の違いからわかるように、同じ経験をしたとしても、その経験から何を解釈するかは必ずしも同じになるとは限りません。

▶ 経験を解釈する機能の構造

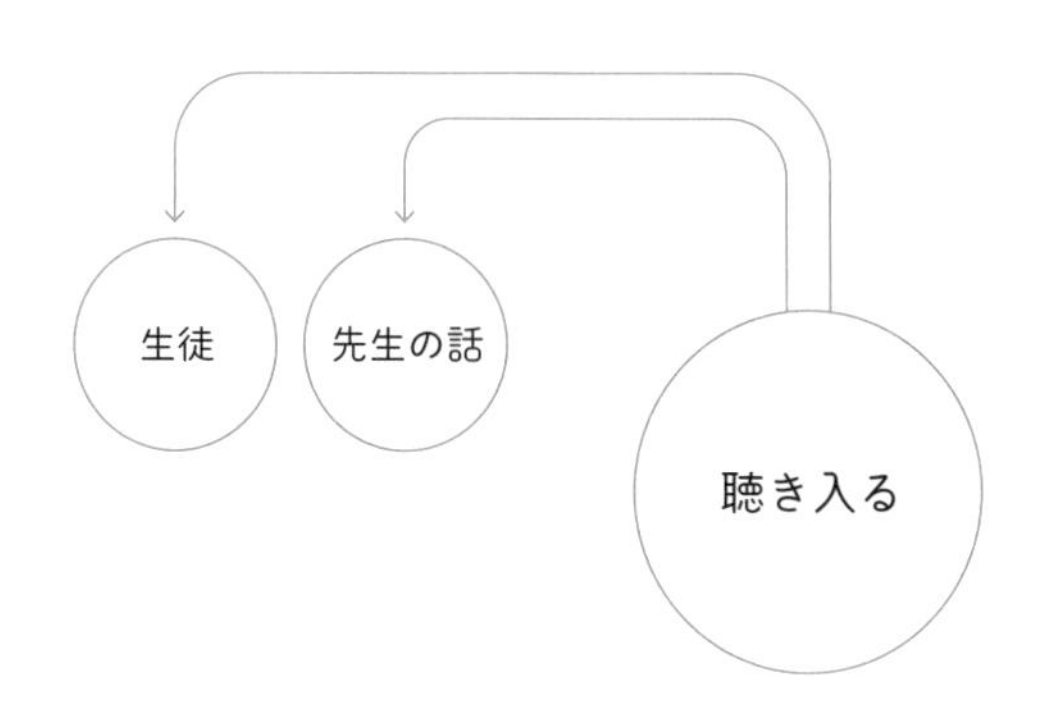

経験を言葉にする際に、必然的に、何を言葉の要素として選択し、それらをどう関係付けるかが、その人の経験の解釈につながっていきます。

なお、経験を解釈する言葉の機能は、化学式のようなかたちで表すことができると考えられています。

例えば、水の構造を化学式で表すとH_2Oとなり、酸素原子一つと水素原子２つが結合して水ができていることがわかります。

同様に、例えば②の文では、「聴き入っていた」という過程を表す言葉に、聴き入っていた「生徒」と、対象である「先生の話」という要素が関連付けられて構成されます。

このように言葉は、ある出来事に参加したものを要素として捉え、それを関連付けることで、経験を解釈する機能を備えています。

▼対人関係を築く機能

言葉にするという行為は、さらに、個人・組織・社会間の関係を築いたり、維持したり、あるいは崩壊させたりすることにつながります。

例えば、上京して、よくお世話になっている人を、「東京のお父さん」「東京のお母さん」などと呼ぶことがあります。「お父さん」「お母さん」と呼ぶことで、さらに関係が親密になったりします。

また、出会ったときには、対等の立場だったのに、いろいろな場面で片方が命令文を使うような場合が多かったとしましょう。するると、命令文を使う側と使われる側とで、上下関係が成立してしまうような場合もあります。

あるいは、ある組織Aが、別の組織Bの活動内容について悪い評価を継続的に発信しているとしましょう。

すると、AとBの間に対立関係が生じる場合もあります。

このように、話し手と聞き手の関係を築くうえで、どんな言葉を選ぶかは、重要な役割を担っています。


対人関係を築く言葉の機能は、水の波紋のように、ある一点から境界を超えて広がるような構造をしていると考えられています。

水の波紋では、雫（しずく）が水面に落ちたら、その衝撃が全体に広がっていきます。


例えば、次の文を見てみましょう。

皆さんは次の文が丁寧な文だと思いますか、思いませんか？

- **昨日参加したシンポジウムで、日本の生成AI開発について拝聴した**

おそらく、丁寧な文だと判断した方が多いかと思います。

▸ 対人関係を築く機能の構造

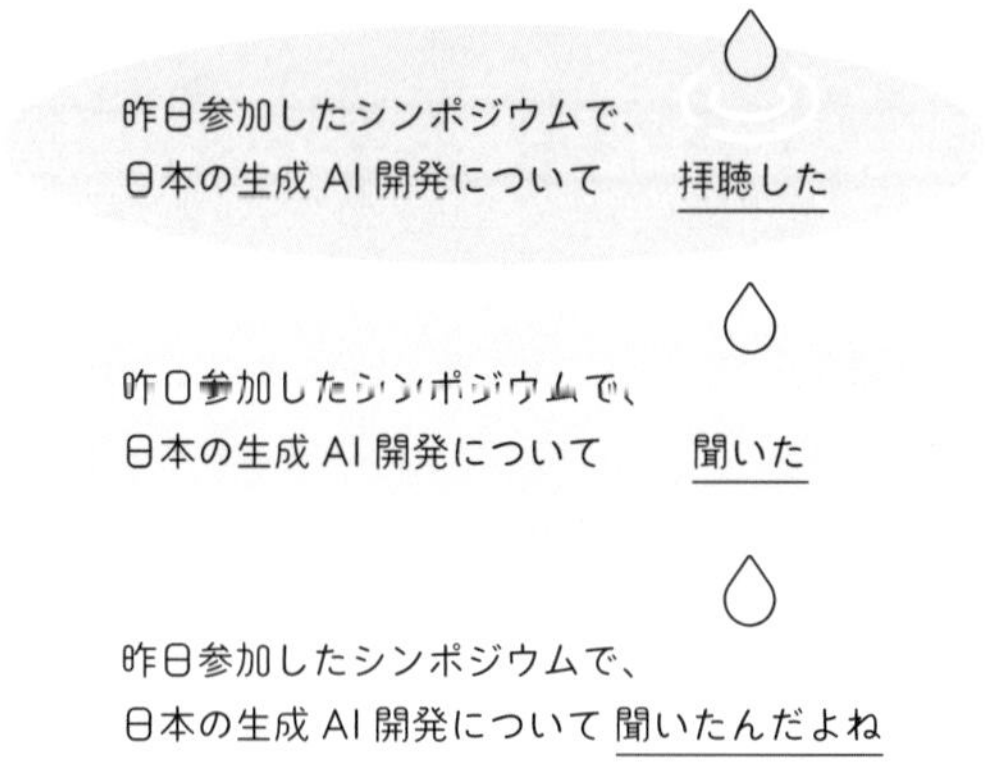

昨日参加したシンポジウムで、
日本の生成 AI 開発について　拝聴した

昨日参加したシンポジウムで、
日本の生成 AI 開発について　聞いた

昨日参加したシンポジウムで、
日本の生成 AI 開発について 聞いたんだよね

なぜそのように判断したのですかと質問されたら、「拝聴」という敬語が使われているからと回答するのではないかと思います。

ここで面白いのが「拝聴」という言葉の選択が、水の波紋が広がるように文全体のトーンを決定しているという点です。

仮に、拝聴を「聞いた」「聞いたんだよね」に変えてしまうと、他の部分は同じでも、文全体の印象が変わってきます。

このように、文中のある言葉の選択が、波紋のように全体に広がる構造で表されることが、対人関係を築く機能の特徴と考えられています。

このように言葉は、個人・組織・社会間の関係などの対人関係を築く機能を備えています。

▼情報・考えを整理して会話やテキストとして形成する機能

言葉にするという行為は、さらに、情報や考えを整理して、一貫性のある会話やテキストとして形成することにつながります。

もしくは、経験を解釈する機能と対人関係を築く機能によって表現したい意味を、まとまった会話やテキストにする機能とも言えるでしょう。

具体的に見ていきましょう。

例えば、誰かの生い立ちについて説明する場合、「１９８４年に○○で生まれた。１９９１年には、○○小学校に入学し……」のように、時間表現で各文をスタートすることがしばしばあります。

時間表現を文の最初に選択することによって、それぞれの出来事を個別に捉えるのではなく、時系列で整理して関連付け、一貫性のあるテキストとして形成することができます。

このように、言葉には、個々の単語や文としてそれぞれを扱うのでなく、目的に沿って情報や考えを整理して、一つのまとまった会話や文章として表現する機能があります。

このテキストを形成する機能は、波のような構造として表現されます。波には他の部分より高く目立つピークと呼ばれる部分があります。

会話やテキストにも、このようなピークを設けて、どのように意味を整理して会話やテキストとして形成しているかを表しています。

次のテキストを見てみましょう。

- **桜には3つの花言葉があります。一つ目は、「精神の美」です。2つ目は、「優美な女性」、3つ目は「純潔」です。なお、桜の種類別に花言葉も違います。**

このテキストでは、「一つ目は」「2つ目は」「3つ目は」という表現を使って、テキストのピークを設定して、桜の花言葉に関する情報を整理しています。さらに「なお」という接続表現を使って、追加の情報を提示することを伝え、一貫性のあるテキストとして全体が形成されています。

このように、言葉にするということは、個々の要素をまとまった全体として形成することにつながります。

▶ 情報・考えを整理して会話や文章として形成する機能の構造

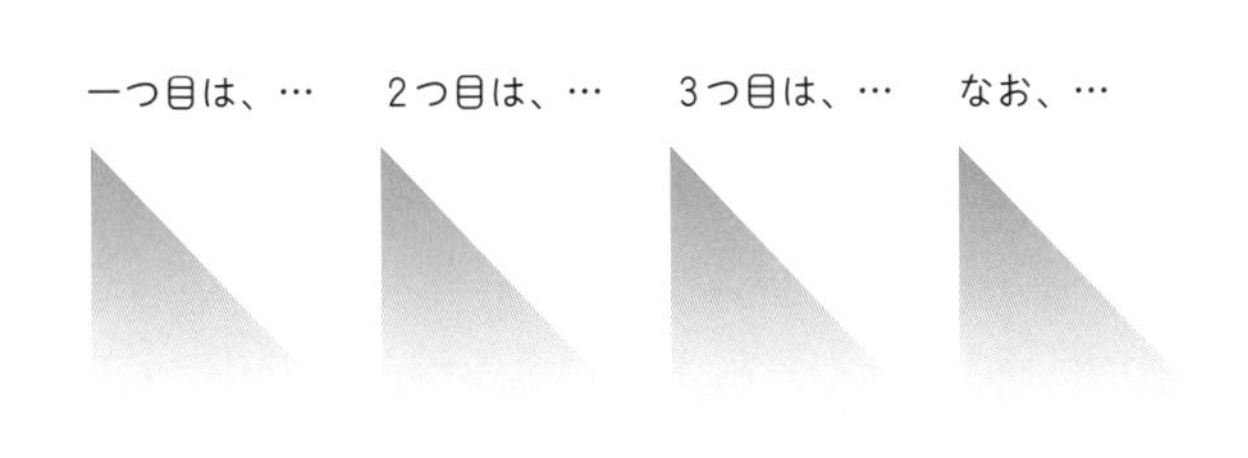

以上、経験を解釈する機能、対人関係を築く機能、情報・考えを整理して会話やテキストとして形成する機能、これら３つが人と人とのコミュニケーション手段としての言葉の内在的機能と考えられています。

では、生成ＡＩの能力や知識を引き出すうえで、これら３つの機能について考えることは、どのような意味を持つのでしょうか。

▼ 生成ＡＩとの対話における言葉の機能

生成ＡＩと人との対話では、３つの言葉の内在的機能（経験を解釈する機能、対人関係を築く機

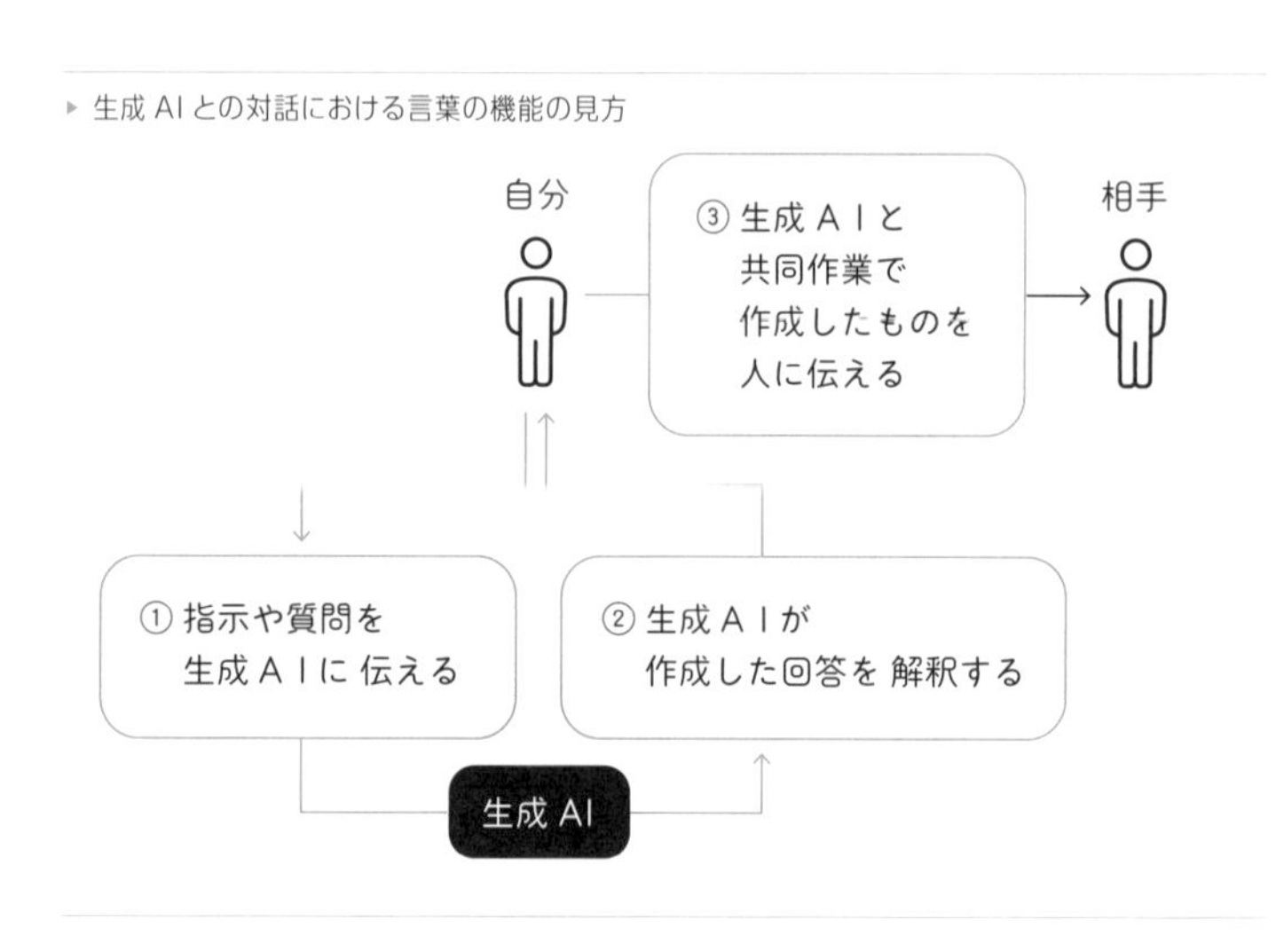

▶ 生成 AI との対話における言葉の機能の見方

能、まとまった会話やテキストとして形成する機能）からプロンプトと生成ＡＩが作成した回答を見ることで、どのような言葉の選択がされたのか、また、何が選択されておらず、生成ＡＩに伝わっていなかったのかを考慮して、生成ＡＩとの対話を解釈することができます。

具体的には、次の側面から、３つの機能について考えます。

①指示や質問を生成ＡＩに伝えるうえでの言語の機能
②生成ＡＩが作成した回答を解釈するうえでの言語の機能
③生成ＡＩと共同作業で作成したものを人に伝えるうえでの言語の機能

具体的に、メールの下書きを生成ＡＩに依頼する場合を想定して、①～③の側面から生成ＡＩとの対話を見てみましょう。

ここでは、とても仲がよかった高校時代の友人と久しぶりに会えることになったので、他の友達も呼んで食事会を開くことになったと仮定します。

そこで、生成ＡＩに次のように指示を書いたとしましょう。

プロンプト2-1　食事会のお誘いメールの下書き（修正前）

#**指示：**食事会のお誘いメールの下書きを書いて。場所は、渋谷で、店の名前は「あいうえお」です。５時から開始します。

このプロンプトに対して、生成ＡＩから次のような回答が返ってきます。

生成AIの回答

回答：

件名：お食事会のお誘い

〇〇さん、

いつもお世話になっております。

〇〇です。

最近、お仕事のご多忙のことと存じます。

さて、この度、渋谷の「あいうえお」で食事会を開催させていただきたく、ご連絡いたしました。

日時は、2023年9月23日（金）の17時から、場所は渋谷の「あいうえお」です。

皆様とご一緒に、久しぶりに美味しい食事を楽しみながら、仕事の話をしたり、プライベートの話をしたりしたいと思います。

ご都合がよろしければ、ぜひご参加いただけましたら幸いです。

ご返信お待ちしております。

よろしくお願いいたします。

〇〇

では、①指示や質問を生成ＡＩに伝えるうえでの言語の機能の観点から、プロンプトを見ていきましょう。

生成ＡＩに指示や質問を伝えるという側面から見ると、経験を解釈する機能は、生成ＡＩにどのような経験を選択して伝えるのかを考える観点になります。

指示には「食事会のお誘いメール」の下書きを書いてほしいことと、「渋谷」「5時」など食事会の詳細が生成ＡＩに伝えられています。一方で、時間の指定はしていますが、日にちは指定されておらず、また誰が参加者なのかは表されていません。

対人関係を築く機能からも考えてみましょう。

対人関係を築く機能は、どのような対人関係を想定して会話をするかを意図的に設定するのに役立ちます。

このプロンプトには、食事会の参加者が指定されていないことはすでに述べましたが、さらに、メールの送信者と受け取る側がどのような関係にあるかが、生成ＡＩには伝えられていません。

テキストを形成する機能についても見てみましょう。

会話・テキストを形成する機能は、どのような様式やスタイルを想定して生成ＡＩに回答を形成させるかを考慮する観点になります。

具体例では、メールを書くという目的は生成ＡＩに伝えられています。

しかし、今回の場合どのようなスタイルでメールを書くのがふさわしいかという点に関しては、プロンプトに記されていません。


続いて②生成ＡＩが作成した回答を解釈するうえでの言語の機能の観点から、生成ＡＩが作成した回答についても見てみましょう。

生成ＡＩの回答を解釈するという側面から見ると、経験を解釈する機能は、今度は生成ＡＩがどの経験を選択して答えを作成したかを見るのに役立ちます。

プロンプトには、日にちの指定はありませんでしたが、回答では生成ＡＩが適当な日にちをメールに含めてくれています。

また、「皆様とご一緒に、久しぶりに美味しい食事を楽しみながら、仕事の話をしたり、プライベートの話をしたりしたいと思います。」と、必ずしも食事会のお誘いメールに必要ではないが、あってもいい内容もメールの下書きに含まれています。

対人関係を築く機能は、指示や質問で設定した期待した通りの対人関係を前提とした回答となっているのかを解釈する観点になります。

この具体例では、ある程度距離のある対人関係を想定してメールの下書きが作成されています。


会話・テキストを形成する機能は、プロンプトの指示や質問に対して、適切なかたちで情報が整理され、回答が形成されているのかを考慮する観点になります。

具体例の回答では、プロンプトで指定された通り、メール形式で食事会のお誘いを目的としたテキストが生成されています。

まず、挨拶から始まり、次に、「さて」という言葉で、要件を伝え、最後に、お願いと挨拶をして、メールの形式に則ったテキスト形成がされています。

ただし、比較的フォーマルで、かたいスタイルが使用されています。


最後に、生成ＡＩと一緒に作ったテキストを他の人に見せる場合（③生成ＡＩと共同作業で作成したものを人に伝えるうえでの言語の機能）も考えてみましょう。

ここでは、生成ＡＩが作成した回答を旧友に送るという視点になります。

②の生成ＡＩが作成した回答を解釈する場合は、自分の出した質問や指示にもとづいて生成ＡＩの回答の適切性を判断しましたが、③の第三者に回答を見せる場合には、３つの機能の観点から、今度は、相手にふさわしいと思われる選択が生成ＡＩと作ったテキストでされているかを吟味します。

相手を想定したときに、適切な選択がされていないと判断した場合には、生成ＡＩの回答を修正する必要があります。

まず、経験を解釈する機能から考えると、日にちは間違っているかもしれませんが、食事会のお誘いという観点から必要な内容がカバーされていると考えられます。

しかし一方で、対人関係を築く機能とテキストを形成する機能の観点から考えた場合、仲がよかった旧友からのメールとしては、少し文面がかたく、相手との距離を感じさせてしまうようなスタイルになっています。

以上のように、３つの言葉の機能からプロンプトと生成ＡＩが作成した回答を見ることで、どのような言葉の選択がされたのか、また、どのような選択がされておらず、生成ＡＩに伝わっていなかったのかを考慮して、生成ＡＩとの対話を解釈することができます。

ただし、生成ＡＩとの会話を解釈することだけが、言葉の機能を考えるメリットではありません。

人との会話と違って、生成ＡＩとは会話を何度でも繰り返すことができます。

３つの観点から会話を解釈した結果にもとづいて、再度メールの下書きを生成ＡＩに作成させ、より状況と目的に沿った回答を生成ＡＩが作成できるように、プロンプトを調節してみましょう。

先ほどのプロンプトと回答の分析にもとづいて、日にち、参加者が誰か、どのような関係の相手にメールを送るか、また、どのようなスタイルでメールを書いてもらいたいかをプロンプトに含めてみましょう。

プロンプト２－２ 食事会のお誘いメールの下書き（修正後）

食事会のお誘いメールの下書きを書いて。食事に誘うのは高校時代の友人で、久しぶりに会います。食事会の場所は、渋谷で、店の名前は「あいうえお」です。日時は、5月3日5時から開始します。メールを送る相手は、しばらく会っていませんが、昔からとても仲の良い友人です。メールを書く時には、やわらかい言葉遣いで、カジュアルなスタイルにしてください。

このプロンプトに対して、生成ＡＩは次のように回答しました。

生成ＡＩの回答

件名：久しぶりに会おう！

○○、
元気？

最近、仕事やプライベートのこと、いろいろと話したいなと思って、5月3日に渋谷の「あいうえお」で食事会をしようと思っているんだ。

久しぶりに会って、昔話でもしながら、ゆっくり話したいと思ってる。

もちろん、仕事の話もOKだよ。

もし、都合が合えば、ぜひ来てほしいな。

返事待ってるね。
○○

プロンプトに含める言葉の選択を変えたことで、生成ＡＩの回答も、先ほどのものとは異なったスタイルに変わりました。最後に、文面をチェック、必要があれば修正して（例えば、メールの文頭の「最近、」を修正）、メールを送信します。

このように、言語学の枠組みで提唱されている3つの言葉の機能を、生成ＡＩとの対話に活用できるように適用することで、指示や質問のプロンプトを書く際にも、生成ＡＩの回答を吟味するうえでも、有効な手段になると考えられます。

言葉の機能を一例に、言語学的な知見が、生成ＡＩとの対話をより広く、深いものにするためにどのように活用できるか見てきました。

生成ＡＩが普及していく中で、生成ＡＩとのコミュニケーションがさらに増えていくことが予想されます。それとともに、「生成ＡＩスキルとしての言語学」が重要になってくると考えます。

言語学の新しいフロンティア：生成ＡＩコミュニケーション

生成ＡＩとの対話の言語学的分析

言語学は今まで人と人とのコミュニケーションとしての言葉を研究してきたものであり、生成ＡＩと人との対話についての研究はまだ始まったばかりです。

今後、生成ＡＩはさらに幅広い分野と場面で普及していくと考えられます。人と人とのコミュニケーションと同じように、将来的には、教育的な立場からも、どのように生成ＡＩと対話し、どのように生成ＡＩとの会話を解釈すべきなのかについて、ガイダンスが必要になってくると考えます。

人と人とのコミュニケーションで行ってきたように、生成ＡＩと人との対話でも、幅広い立場からの言語学的・教育学的な研究と実践が必要になってくると考えます。

生成AIが挑む言語学的な問題と限界

また、生成ＡＩとの会話の分析は、生成ＡＩの性能を改善していくためにも必要になってくると考えます。

生成ＡＩはどのような点で、人と人とのコミュニケーションのように会話することができ、どのような点ではできないかを明らかにすることから始めていく必要があるでしょう。

生成ＡＩの発展は急速なペースで進んでいますが、一般的に、独創的な比喩表現の生成など、一般的傾向と異なる言語パターンでテキストを生成するのは、難しいタスクだと考えられています。

また、特定の文化や文脈的背景があって初めて理解できる言葉の意味や、文脈が少ない状況で多義語の語義を特定することなども、難易度が高いタスクになります。

どのようなことが可能で、どのような点を改善していく必要があるかを、言語学的立場から明らかにしていくことが、今後の生成ＡＩのさらなる改善につながっていくと考えられます。

第1章で生成ＡＩについて、第2章で言語学についてお伝えしてきました。

次章からいよいよ、生成ＡＩの知識とスキルを引き出し、生成ＡＩとの対話がより広く深いものになるように、生成ＡＩとの対話の方法を具体例とともに概説していきます。

第3章

生成ＡＩと話す目的は？
生成ＡＩとの対話はどんな構造？

生成ＡＩと対話する目的は？

どんな種類の目的があるか？

生成ＡＩとの対話を介して、我々はさまざまな目的を達成することができます。

ここでは、その主な目的（もしくは第2章で出てきた「付帯的機能」）に焦点を当てて、生成ＡＩとの対話でどのようなことができるかを見てみましょう。

なお、現在では、生成ＡＩとの対話で、例えば地図アプリなどの他のツールにアクセスすることもできるようになっており、今後さらに利用方法は広がっていくと考えられます。

第1章「生成ＡＩはなぜ生成する？」で少し概説したように、指示や質問をする場合、生成ＡＩとの対話の目的は、主に次の3つがあります。

① 情報やアイディアを理解する

② 情報やアイディアを表現する
③ 考えを分析・整理する

本章ではまず、これら3つの利用方法について、さらに詳しく見ていきます。

▼ 情報やアイディアを理解する

生成ＡＩとの対話の目的の一つは、情報やアイディアを理解することです。学習した膨大なデータや検索結果などを要約する機能を使って、生成ＡＩは、我々が物事を理解するのを手伝ってくれます。

例えば、生成ＡＩは、特定のトピックに関連する情報を集めるのに利用できます。難解な文やテキストを読み解き、よりわかりやすいテキストに書き換えてもらうこともできます。さらに、異なる立場や視点を比較し、複雑な問題に対する多角的な立場を理解するのを手助けしてくれます。

一つ、具体例を見てみましょう。

ここでは、「サーフィンを始めてみたい」と思って、専門雑誌や関連ウェブサイトを見ていたところ、次のような文を見つけ、意味がわからず困っているとしましょう。

・今日は頭くらいは見込める。早朝はオフショアだが、時間が経つにつれてオンショア。

この文には、知らない言葉やあまり見慣れない言葉使いが出てきます。

「オフショア」や「オンショア」という表現は、ビジネスなどでも使います。ここでは、どういった意味で使われているのでしょうか。

また、「頭くらいは見込める」という表現はどういう意味なのでしょうか。

いくつか難しいところがあるので、生成ＡＩにこの文を理解するのを手伝ってもらうことにしましょう。

次のようなプロンプトで生成ＡＩに指示を出します。

プロンプト３－１ 難解文の言い換え

私はサーフィンの初心者です。あなたはプロのサーフィンのコーチです。次の文を、専門知識のない初心者でもわかりやすい文に書き換えてください。これを以下のステップで実行してください。

①専門用語を、日常的な表現を使って書き換えてください。

②専門用語の説明をする。

文：今日は頭くらいは見込める。早朝はオフショアだが、時間が経つにつれてオンショア。

このプロンプトに対して、生成ＡＩは次のような回答をしてくれます。

生成ＡＩの回答

初心者向けの書き換え

①専門用語を、日常的な表現を使って書き換え

「頭くらい」→「頭の高さくらい」「オフショア」→「陸から海に向かって吹く風」「オンショ

ア」↓「海から陸に向かって吹く風」

② 専門用語の説明

「頭の高さくらい」↓サーフィンの波の高さの単位で、約2メートルの高さの波を指します。

「オフショア」↓陸から海に向かって吹く風のことで、波の表面をなめらかにするので、サーフィンに適した風です。「オンショア」↓海から陸に向かって吹く風のことで、波の表面を荒らしてしまうので、サーフィンに不向きな風です。

書き換えた文

「今日は頭の高さくらいの波が期待できます。早朝は陸から海に向かって吹く風で、波の表面がきれいです。時間が経つにつれて、海から陸に向かって吹く風になり、波の表面が荒れてくるかもしれません。」

生成ＡＩが難解文をわかりやすい文に書き換えてくれています。

専門用語の説明も回答にあるので、似たような文書に出会ったときは書き換えずともよくなるかもしれません。

このように、生成ＡＩと対話することで、難しい表現や専門用語を含む文を理解しやすくなります。

ただし、生成ＡＩが誤った書き換えをする場合もあります。

最終的には、生成ＡＩのアウトプットの正誤を自分で確認し、判断することが必要となります。

このような問題に対応するために、現在では、生成ＡＩが回答の参照元となるウェブページを表示し、情報の裏付けをしてくれるようなかたちでサービスを提供するものもあります。

情報やアイディアを表現する

生成ＡＩとの対話における2つ目の目的は、情報やアイディアを表現することです。

例えば、生成ＡＩを利用して、文章や報告書の下書きを作成することができます。また、文書の質を向上させるために、生成ＡＩの能力を活用して、添削や編集作業を行うこともできます。さらに、ターゲット層別の文書を作成したりすることもできます。

例えば、最近のニュース記事からキーワードを抽出するアプリの説明文を、古民家カフェ好きの30代女性向けにまず書いたとしましょう。

しかし、マーケティングチームからの要望で、次は、天体観測が趣味の20代男性向けのものも用意してほしいと言われたとします。

そこで、次のようなプロンプトを用意します。

プロンプト3-2 ターゲット層別のアプリ説明文の作成

私はアプリの開発者で、あなたはアプリのプロモーションを様々なターゲット層別に作成するのが得意なコピーライターです。以下のアプリの説明の原文を対象者に合わせて編集してください。これを次のステップで実行してください。

① **対象者が好きなものとアプリをどう関連付けられるか調べる。**

② **原文を対象者が好きなものと関連付けて、アプリの説明を編集する。**

原文：このアプリは、最近のニュース記事からキーワードを抽出することができます。最近の出来事について、どのようなキーワードを使用できるかを知りたい時に、役立ちます。

例えば、次のように編集してください

対象：古民家カフェ好きの30代女性
編集：このアプリは、最近のニュース記事から関連キーワードを抽出することができます。新しくできた古民家カフェや最近話題になっているスイーツを提供している古民家カフェについて調べる際に便利なツールです。

例を参考に、次の対象に向けて原文を編集してください。

対象：天体観測が趣味の20代男性

すると、生成ＡＩは次のように回答しました。

生成AIの回答

承知しました。以下のようにして、原文を編集しました。

対象：天体観測が趣味の20代男性

原文：このアプリは、最近のニュース記事からキーワードを抽出することができます。最近の出来事について、どのようなキーワードを使用できるかを知りたい時に、役立ちます

編集：このアプリは、最近の天文ニュースから関連キーワードを抽出することができます。最新の天体観測ニュースや、天体に関する話題の研究について調べる際に便利なツールです。

生成ＡＩが、ターゲット層「天体観測が趣味の20代男性」に向けて、原文をアレンジしてくれています。

このように、生成ＡＩと対話することで、我々は、情報や考えを表現することができます。

情報やアイディアを理解するときと同様に、生成ＡＩが作成した表現をそのまま利用するのでなく、生成ＡＩと共同作業をしていると考えて、生成されたものを自分で評価し、必要があれば修正して、自分が伝えたい情報や考えをちゃんと表すことができているのかを確認することが重要です。

考えを分析・整理する

３つ目の目的として取り上げたいのが、自身の考えや気持ちを、生成ＡＩとの対話を介して分析・整理することです。

例えば、さまざまな会話のシナリオをシミュレーションして、相手の反応やアプローチを事前に想定し、それを踏まえて自分の立場や気持ちを熟考し、あらかじめ準備しておくことができます。

また、生成ＡＩに複数の立場から質問や意見を出してもらうことで、複雑な問題や状況を多角的に把握し、自分の考えや気持ちを第三者的な視点から見つめることも可能です。

さらに、他者から受けた批判で落ち込んでしまうようなときには、批判を建設的なフィードバックに生成ＡＩを使って言い換えることで、否定的な指摘をアドバイスに変えて、自分の気持ちを整理し直し、再度挑戦する気持ちを奮い立たせる手助けをしてくれたりします。

この建設的なフィードバックへの再構築については、生成ＡＩとの対話の応用として、第7章で詳しく紹介します。

ここでは例として、ドラフト案として考えてみたプロジェクトの概要について、具体化すべきところや、想定される質問などを生成ＡＩに考えてもらい、自分の考えを整理する手伝いをしてもらいましょう。

仮に、休校となってしまった小学校の再利用方法について相談を受けているとしましょう。

地域の住民と打ち合わせをする前に、考えた提案に対してどのような質問や意見が出る可能性があるかを考えて、事前準備を整えておきたいとします。

そんなときには、例えば、次のような指示を生成ＡＩにするとよいでしょう。

プロンプト３－３ いろいろな立場からの質問の作成

過疎化・少子化によって休校となった小学校の再利用方法について検討しています。私は地域住民に再利用の方法を提案するコンサルタント、あなたは私の提案を聞きにきた地域住民とします。提案は次のとおりです。

提案：プロジェクト名：休校となった小学校の再利用
概要：地元の人の支えで50年続いた小学校でしたが、過疎化と少子化の影響で、ついに休校することとなりました。地域住民と、今後小学校をどのように利用するか考えたところ、いつか再校できるように、できるだけ今の設備はそのままにしておきたいという要望があった。そこで、小学校の教室や体育館をイベントスペースとして貸し出すことを提案する。

コミュニケーションの形式は、質疑応答のスタイルを想定します。これから私が企画を説明するので、地域住民として質問をしてください。これを次のステップで実行してください。それぞれ複数の質問を考えてください。

①より具体的に説明してほしいところはどこか、質問してください。
②提案に賛成の地域住民がしそうな質問をしてください。
③最後に提案に反対の住民がしそうな質問をしてください。

すると生成ＡＩは次のような質問やコメントをしてきます。

生成ＡＩの回答

①より具体的に説明してほしいところはどこか、質問してください。
・イベントスペースとして貸し出す場合、どのようなイベントが想定されていますか?
・貸出料金はどのように設定する予定ですか?
・イベントの予約や管理はどのように行う予定ですか?

②提案に賛成の地域住民がしそうな質問をしてください。
・イベントスペースとして貸し出すことで、地域の活性化につながると考えていますか?
・将来的に再校の可能性も残しておくことができますか?
・地域住民の意見を反映しながら、運営を行っていく予定はありますか?

③最後に提案に反対の住民がしそうな質問をしてください。

- イベントスペースとして貸し出すことで、学校が荒れるのではないか？
- 貸出料金が安すぎると、地域の活性化にはつながらないのではないか？
- 管理がうまくいかないと、トラブルの原因になるのではないか？

生成ＡＩが壁打ち相手になって、ドラフト案に対して異なる立場からの質問を考えてくれています。生成ＡＩが出した質問によって、自分の考えを事前に整理しておくことができます。

ここまで、いくつか生成ＡＩとの対話の例を見てきました。

次は、生成ＡＩとの対話がどんな構造になっているか、言語学の分析法を使って見ていきましょう。

生成AI対話の構造ってどんなもの？

▼プロンプトの構造

基本的には、生成AIとの対話は、プロンプトと呼ばれる対話者から生成AIへの指示や質問と、生成AIから対話者への回答によって構成されています。

人と人との対話と同様に、やりとりは一度とは限らず、生成AIから回答を受けて、さらにそれに対して、会話を続けることも可能です。

本書は、生成AIの知識やスキルを引き出すことを目的としているので、特に、生成AIに何か指示を出す、もしくは、質問をする場合のプロンプトの構造と構成要素を見ていきます。

ここでは、GSP（Generic Structure Potential）と呼ばれるテキストの構造分析方法を使って、プロンプトの構造を見ていきます。

なんだか難しそうな名前の分析法ですが、簡単に言うと、ある目的のために会話したり、文書を書いたりするときに、その目的を達成するために、絶対に含める必要がある要素と、オプショナルな（あってもなくてもよい）要素は何かを見つけて、それがどんな順番で出てくるかを調べるという方法です。

例えば、自己紹介することを目的に会話する場面を思い浮かべてみましょう。自己紹介するときには、まず名前を言って、その後で、例えば、趣味について説明するかもしれません。もしくは、趣味の代わりに、得意なことを話すかもしれません。名乗らないで自己紹介が終わるということは滅多にないと思います。自己紹介において「名乗り」というのは、必須要素であると考えられます。

一方で、「趣味」や「得意なこと」は、時間がないときには省かれるかもしれません。自己紹介する場面でも「趣味」や「得意なこと」を含めるか否かは、選択できるわけです。この意味で、「趣味」や「得意なこと」はオプショナルな要素と言うことができます。

さらに、３つの要素の順番についても考えてみましょう。ほとんどの場合は、「趣味」や「得意なこと」よりも前に「名乗り」が来ます。「趣味」

や「得意なこと」は「名乗り」の後に出てくれば、どちらが先に来ても特に問題はないでしょう。

仮に、これら3つの要素に限定して、自己紹介の構造を考えると、GSP分析では、次のように表現することができます。

自己紹介の構造

名乗り↓（趣味）（得意なこと）

ここでは、「↓」が要素の順番（「A↓B」であれば、Aに続いてB）、「・」は、順番を入れ替えられること（「A・B」であれば、A↓B、B↓Aの両方可能）、「（）」がオプショナル（「A↓（B）」であれば、AだけでもいいいしA↓Bでもよい）であることを示すとしましょう。

GSP分析以外にも会話や文章の構造の表し方はさまざまあるのですが、この分析法では、このようにテキストの構造を表現します。

では、生成ＡＩに質問や指示を出す場合のプロンプトの構造はどのようなものか、この方法を使って確認してみましょう。

プロンプトの書き方は今もなお研究され、進化している最中ですので、今後さらに拡張・変化していくこともあるかと思います。

しかし、大枠では、次のように表すことができます。

指示や質問のプロンプトの構造

（状況設定）・指示／質問の説明・（様式の選択）↓（例の提示）↓（入力値）

文章にするとあたりまえですが、生成ＡＩに質問や指示を出す場合のプロンプトの構造で必須となるのは「次の文章を編集してください」「剣道がうまくなる方法を教えて」など、**指示／質問の説明**です。

オプショナルな要素には、「**状況設定**」「**様式の選択**」「**例の提示**」「**入力値**」などがあります。まず状況を説明してから指示や質問をすることもできますし、逆の順番も可能です。

▸ 生成 AI に指示や質問をするプロンプトの構造

（状況設定）・指示／質問の説明・（様式の選択）→（例の提示）→（入力値）

状況設定	指示／質問の説明	様式の選択	例の提示	入力値
ビジネス文書を作っています。	文が与えられたときに、それをより丁寧な表現に書き換えてください。	です・ます調を使ってください。	原文　チェックしてほしい。 丁寧な文　ご査収くださいませ。	原文　来週打ち合わせして。 丁寧な文

指示／質問の説明

教育で生成 AI の利用方法にはどのようなものがありますか。3 つ教えてください。

指示／質問の説明	状況設定	例の提示
動画タイトルを3 つ考えてください。	ピスタチオを使ったスイーツの動画を作成しました。	【徹底解説】ピスタチオで絶品スイーツ。あの材料を加えると……

様式の選択についても同じことが言えます。

一般に、回答の**例**を示すのは、**状況設定**、**指示／質問の説明**、**様式の選択**の後になります。

必ずしも、この順番でなくてもいいのですが、プロンプトの最後に記載する事項が、より生成ＡＩの回答に影響する傾向にあるので、回答の例を示す場合は、プロンプトの後ろのほうで記載します。

入力値を含める場合は、プロンプトの最後に記載するのが一般的です。

では、それぞれの要素がどのようなものか、一つひとつ例を挙げて見ていきましょう。

指示／質問を説明する

最もシンプルなプロンプトの構造は、指示もしくは質問のみの場合です。

例えば、次のプロンプトは質問のみを含みます。

プロンプト3-4　教育での生成AIの利用についての質問（状況設定なし）

教育で生成AIの利用方法にはどのようなものがありますか。3つ教えてください。

この質問に対して、生成ＡＩは例えば次のような回答を生成します。

生成AIの回答

教育で生成AIの利用方法には、大きく分けて以下の3つが挙げられます。

1．**個別指導**

生成AIは、生徒ごとに個別の指導を行うことができます。生徒が質問をすると、生成AIは疑問点や難しい部分を明確にするための解説や具体的な例を提供します。これにより、生徒は自分のペースで学習し、知識のギャップを埋めることができます。

2．**学習支援**

生成AIは、学習の進捗状況や課題を把握し、適切な支援を行うことができます。例えば、生徒の学習履歴を分析して、苦手な分野を特定し、その分野の学習を重点的にサポートするといったことができます。

3. 創作活動の支援

生成ＡＩは、生徒の創作活動を支援することができます。例えば、詩や物語、音楽、絵画などの作品を生成するツールを提供することで、生徒の創造性を伸ばすことができます。

具体的な活用事例としては、以下のようなことが挙げられます。

- 英語学習において、生成ＡＩを活用した個別指導を行うことで、生徒の英語力向上を図る。
- 数学学習において、生成ＡＩを活用した学習支援を行うことで、生徒の苦手分野を克服する。
- 美術学習において、生成ＡＩを活用した創作活動の支援を行うことで、生徒の表現力を育む。

生成ＡＩは、教育現場でさまざまな形で活用されています。今後も、生成ＡＩの技術が進歩することで、教育現場での活用はさらに広がっていくと考えられます。

なお、生成ＡＩの利用には、以下のような注意点もあります。

- 生成ＡＩが生成した情報は、必ずしも正確ではない。
- 生成ＡＩは、偏った情報を生成する可能性がある。
- 生成ＡＩを利用する際には、批判的に考える力を養う必要がある。

生成ＡＩを効果的に活用するためには、これらの注意点に留意することが重要です。

プロンプトの質問にあるように、３つ、利用方法をリストしてくれました。ただし、生成ＡＩには、こちらがどういった立場でこの質問をしているか、生成ＡＩにどのような立場から答えてほしいか、なぜこのような質問をしているのかといったコンテクストは伝えていません。

状況を設定する

そこで、対話のコンテクストを伝えたうえで回答を作成してみましょう。プロンプトに、次のように状況設定の記述を加えてみます。

プロンプト３－５　教育での生成ＡＩの利用についての質問（状況設定あり）

＃状況設定：大学教育について質問します。私は英語講師でライティングの講義を担当しています。あなたは英語教育に生成ＡＩを活用することを研究している研究者です。

＃質問：教育で生成ＡＩの利用方法にはどのようなものがありますか。３つ教えてください。

プロンプトに対話者の状況の説明を加えたことで、生成ＡＩは、英語のライティングでの利用方法だということを考慮したうえで、回答を作成します。

生成ＡＩの回答

英語教育における生成ＡＩの利用方法は、大きく分けて以下の３つが挙げられます。

１．個別指導

生成ＡＩは、学生の個々の学習状況やニーズに合わせて、適切な指導を行うことができます。例えば、学生がライティングで苦手としている部分を特定し、その部分を重点的に指導するといったことが可能です。また、学生が書いた文章の誤りを指摘し、修正方法を提案することもできます。

２．フィードバック

生成AIは、学生の書いた文章を客観的に評価し、フィードバックを提供することができます。例えば、文章の構成や論理の組み立て、表現の適切さなどについて、具体的なアドバイスをもらうことができます。また、生成AIは、学生が書いた文章を元に、新たな文章を生成することもできます。この機能は、学生の創造性を刺激し、新たな表現方法を学ぶのに役立ちます。

3．学習ツール

生成AIは、学生が自学自習するための学習ツールとして活用することもできます。例えば、生成AIを活用した英単語学習アプリや、英作文の添削ツールなどがあります。これらのツールは、学生が効率的に学習を進めるのに役立ちます。

具体的な活用例としては、以下のようなものが挙げられます。

- 学生が書いた英文の誤りをAIが指摘し、修正方法を提案する。
- 学生が書いた英文をAIが元に、新たな英文を生成して、学生に提示する。
- 学生が書いた英文をAIが分析し、その英文の特徴や改善点を分析する。

これらの活用方法は、英語教育の効率化や効果の向上につながると期待されています。

なお、生成AIを活用する際には、以下の点に注意が必要です。

- 生成AIは、あくまでもツールです。AIが生成した文章を鵜呑みにせず、自分でもしっかりと吟味することが重要です。

- 生成AIには、誤った情報を生成してしまう可能性もあります。AIが生成した情報は、必ず別の情報源で確認するようにしましょう。

このように、生成AIは英語教育にさまざまなメリットをもたらす可能性を秘めています。しかし、AIの限界を理解した上で、適切に活用することが大切です。

具体例も含めて、生成ＡＩを使いながら、学生がどのように英語力を身につけられるかのアイディアを出してくれています。

指示通り3つ利用方法を提示してくれていますが、パッと回答を見にくいので様式も指定してみましょう。

回答の様式を選択する

続いて、生成ＡＩが利用方法を提示するときに、表形式にしてもらうことにしましょう。特定のスタイルや形式でテキストをまとめてもらいたいときには、様式を指定するようにします。

例えば、次のプロンプトでは、「状況設定」と質問に続いて、「表形式で」と回答の様式を指定しています。

プロンプト３－６　**教育での生成ＡＩの利用についての質問（様式の選択あり）**

＃**状況設定**：大学教育について質問します。私は英語講師でライティングの講義を担当しています。あなたは英語教育に生成ＡＩを活用することを研究している研究者です。

＃**質問**：教育で生成ＡＩの利用方法にはどのようなものがありますか。３つ教えてください。

＃**様式**：表形式で、利用方法の名前、説明、具体例をまとめてください。

様式として表形式を選択したことで、生成ＡＩは次のように回答を表にまとめてくれます。

▸ 様式を表形式と指定した場合の回答

生成AIの回答

利用方法の名前	説明	具体例
フィードバック	学生の書いた文章に対して、生成AIが誤りや改善点を指摘する。	学生が書いた文章を生成AIに入力すると、誤字脱字や文法ミス、論理的な問題などを指摘する。また、学生が書いた文章を生成AIが書き直し、より改善された文章を提示する。
個別指導	学生の学習レベルやニーズに合わせて、生成AIが個別的な指導を行う。	学生が理解に苦しんでいる文法や語彙を生成AIが解説する。また、学生が課題に取り組んでいる際に、生成AIがヒントやアドバイスを提供する。
学習コンテンツの提供	生成AIが作成した学習コンテンツを活用する。	生成AIが作成した英作文の練習問題や、英語のニュース記事の要約などを提供する。また、生成AIが作成した英会話のロールプレイングなどの学習コンテンツを提供する。

▼例を提示する

生成ＡＩにプロンプトで例を与える場合について見てみます。
今まで教育に生成ＡＩを利用するという設定で見てきましたが、別の例も見てみましょう。

今度は、スイーツ動画のタイトルを考案するシーンで解説します。
次の①と②を比べてみましょう。

プロンプト

①状況設定↓指示
②状況設定↓指示↓例

①では、例を含めず、状況設定と指示のみを与えます。

②では、これに加えて、例もプロンプトに含めます。

プロンプト３－７ 動画タイトルの提案（例なし）

＃状況設定：ピスタチオを使ったスイーツの動画をインターネットにアップロードしようと思います。あなたは、動画のタイトルを考えるのが上手なプロの動画作成者です。

＃指示：動画タイトルを３つ考えてください。

例なしの場合、生成ＡＩは次のようなタイトルを提案しました。

生成ＡＩの回答

１．「ピスタチオスイーツの魅力を徹底解剖！人気のレシピを大公開！」
このタイトルは、ピスタチオスイーツの魅力をわかりやすく伝えるとともに、人気のレシピを公開することで視聴者の興味を引くことができます。また、検索エンジンで検索されたときにも、上位に表示される可能性が高いタイトルです。

2.「ピスタチオスイーツで作る、簡単&美味しいレシピ集」

このタイトルは、ピスタチオスイーツのレシピを簡単に、わかりやすく紹介するタイトルです。初心者でも簡単に作れるレシピを紹介することで、視聴者のニーズを満たすことができます。

3.「ピスタチオスイーツの最新トレンド！話題のスイーツをまとめて紹介」

このタイトルは、ピスタチオスイーツの最新トレンドを紹介するタイトルです。今話題のピスタチオスイーツをまとめて紹介することで、視聴者の興味を引くことができます。

続いて、プロンプトに例を含める場合の生成AIの回答も見てみましょう。

プロンプト 3-8　動画タイトルの提案（例あり）

#状況設定：ピスタチオを使ったスイーツの動画をインターネットにアップロードしようと思います。あなたは、動画のタイトルを考えるのが上手なプロの動画作成者です。

#指示：動画タイトルを3つ考えてください。

＃例：【徹底解説】ピスタチオで絶品スイーツ。あの材料を加えると…

例を含めた場合、生成ＡＩは次のようなタイトルを提案しました。

生成ＡＩの回答

1.【初心者でも簡単】ピスタチオスイーツの基本レシピを公開！
このタイトルは、ピスタチオスイーツに挑戦してみたいけど、初心者で作り方がわからないという人に向けて訴求しています。また、「基本レシピ」という言葉で、誰でも簡単に作れるという安心感を与えています。

2.【話題のピスタチオスイーツ】あのお店の味を再現！
このタイトルは、ＳＮＳなどで話題になっているピスタチオスイーツを再現する動画であることをアピールしています。また、「あのお店の味を再現」という言葉で、視聴者の興味を引くことができます。

3.【ピスタチオ好き必見！】ピスタチオスイーツの最新トレンドを大公開！

このタイトルは、ピスタチオスイーツの最新トレンドを紹介する動画であることをアピールしています。また、「最新トレンド」という言葉で、視聴者の興味を引くことができます。

プロンプトに例を含めない場合と、例を含める場合とで、生成ＡＩが提案するタイトルの特徴が違っています。

「例」を含めた場合、「例」の【徹底解説】を参考にして、【初心者でも簡単】【ピスタチオ好き必見！】など、注目を集めるような表現をタイトルに含めて回答が作成されています。一方で、「例」を伝えなかった場合は、このような注目キーワードはタイトルにありませんでした。

なお、一つだけ例を与える場合と複数与える場合とで、生成ＡＩの回答に違いが出る場合もあるので、一つだけ例を与えても意図が伝わらない場合は、例をいくつか増やしてみてください。

▼入力値（インプット）を与える

最後に、入力値を含むプロンプトの例を見てみましょう。

入力値は、生成ＡＩに何かの値を与えて、それをもとに何か生成ＡＩにしてもらいたいときプロンプトに含めます。

例えば、生成ＡＩに英語の文を日本語にしてもらいたいときに、英語の文をインプットとして与え、日本語の文を出力値（アウトプット）として回答させる場合などです。

または、何か文書を与えて、その文書からやることリストを作成してもらうことなどもできます。


具体例として、やることリストの作成を指示するプロンプトを見てみましょう。

なお、プロンプトにある「テキスト」や「やることリスト」のような入力値や出力値の名前をプリフィックス（prefix）と呼ぶことがあります。

次のプロンプトのように、入力値の後に出力値の名前を書いておくと、それに続く回答を生成ＡＩが作成してくれます。

プロンプト３－９　**やることリストの作成**

＃状況設定：

テキストを与えるので、やることリストを作成してください。

《入力値》

#テキスト：件名：企画書送付のお願い

株式会社○○の○○様

いつもお世話になっております。

株式会社△△の△△です。

先日、打ち合わせの機会をいただき、貴社の企画について相談させていただき、ありがとうございました。

貴社の豊富な経験とノウハウを活かした企画は、とても魅力的なものだと感じております。

この度、貴社の企画を社内で検討するにあたり、企画書を拝見させていただきたく存じます。

ご多忙のところ恐縮ですが、1週間以内にメールで送付いただけますでしょうか。また、見積り書も一緒に頂ければ幸いです。

どうぞよろしくお願い申し上げます。

株式会社△△ △△

《出力値》

やることリスト：

当該の入力値（この場合はメール）に対して、生成ＡＩは次のようなやることリストを作成してくれます。

生成ＡＩの回答

やることリスト

1．企画書と見積り書を準備する
2．企画書と見積り書をメールで送付する
3．送付後の対応

同じ形式の指示や質問を繰り返し違う内容で行うような場合は、入力値を与えられるようにプロンプトをデザインしておくと（例えば、プロンプト３−９であれば、入力値「テキスト」という部分を用意しておくと）、当該の入力値を変えるだけで使い回しができて便利です。

これらの要素以外も、プロンプトに含めることはできますが、以上がプロンプトの基本的な構成要素になります。

本章では、生成ＡＩとの対話の目的と構造、特に、指示や質問を生成ＡＩにする場合に、プロンプトがどのような構造をとるのかを概説しました。

生成ＡＩとの対話の目的には、大別して、①情報やアイディアを理解する、②物事やアイディアを表現する、③考えを分析・整理するなどがあることを、具体例とともに説明しました。

また、指示や質問のプロンプトには、**指示／質問の説明**以外にも、**状況設定**、**様式の選択**、**例の提示**、**入力値**などが含まれることを見てきました。

次章からさらに細かく、言語学的知見をもとに、プロンプトの書き方について構成要素ごとに説明していきます。

まずは、生成ＡＩの能力やスキルを引き出すのに、状況をどう生成ＡＩに伝えるのがいいかを見ていきます。

第4章
状況設定を伝えて生成AIをカスタマイズしよう

コンテクストとはそもそも何？

コンテクストとは

第3章では、生成ＡＩとの対話の目的にはどのようなものがあるか、また、生成ＡＩとの対話の構造、特に、プロンプトの構成について説明しました。

プロンプトの構成要素には、**指示／質問の説明**、**状況設定**、**様式の選択**、**例の提示**、**入力値**といったものがありました。

本章ではこのうち、**状況設定**について詳しく見ていきます。特に、**状況設定**を生成ＡＩに伝えることが、生成ＡＩの知識やスキルを対話の目的に合わせてカスタマイズするうえで重要になるということを概説します。

状況設定は言語学で**コンテクスト**として扱われます。

生成ＡＩに状況設定を伝えるための基礎として、まずは、言語学でコンテクストがどのように捉えられているかを見てみましょう。

その後、言語学でのコンテクストの考え方が、プロンプトに状況設定を書くうえで、どのように役立つかを見ていきます。

背景としてのコンテクストと文脈としてのコンテクスト

コンテクストという表現を日本語に訳す場合、背景や状況と訳される場合と、文脈と訳される場合があります。

本章で言うコンテクストは、言葉が使用される社会的・文化的な背景や状況のこと、もしくは、「場」のことを指します。

例えば、「しばらくあれ食べてないから、久しぶりにあそこ行こうか」「あれね、食べたい」という会話をしているとしましょう。

この会話だけでは、我々には、「あれ」や「あそこ」が何を指しているのかわかりません。

▶ 文脈：コンテクストとコ - テクストの違い

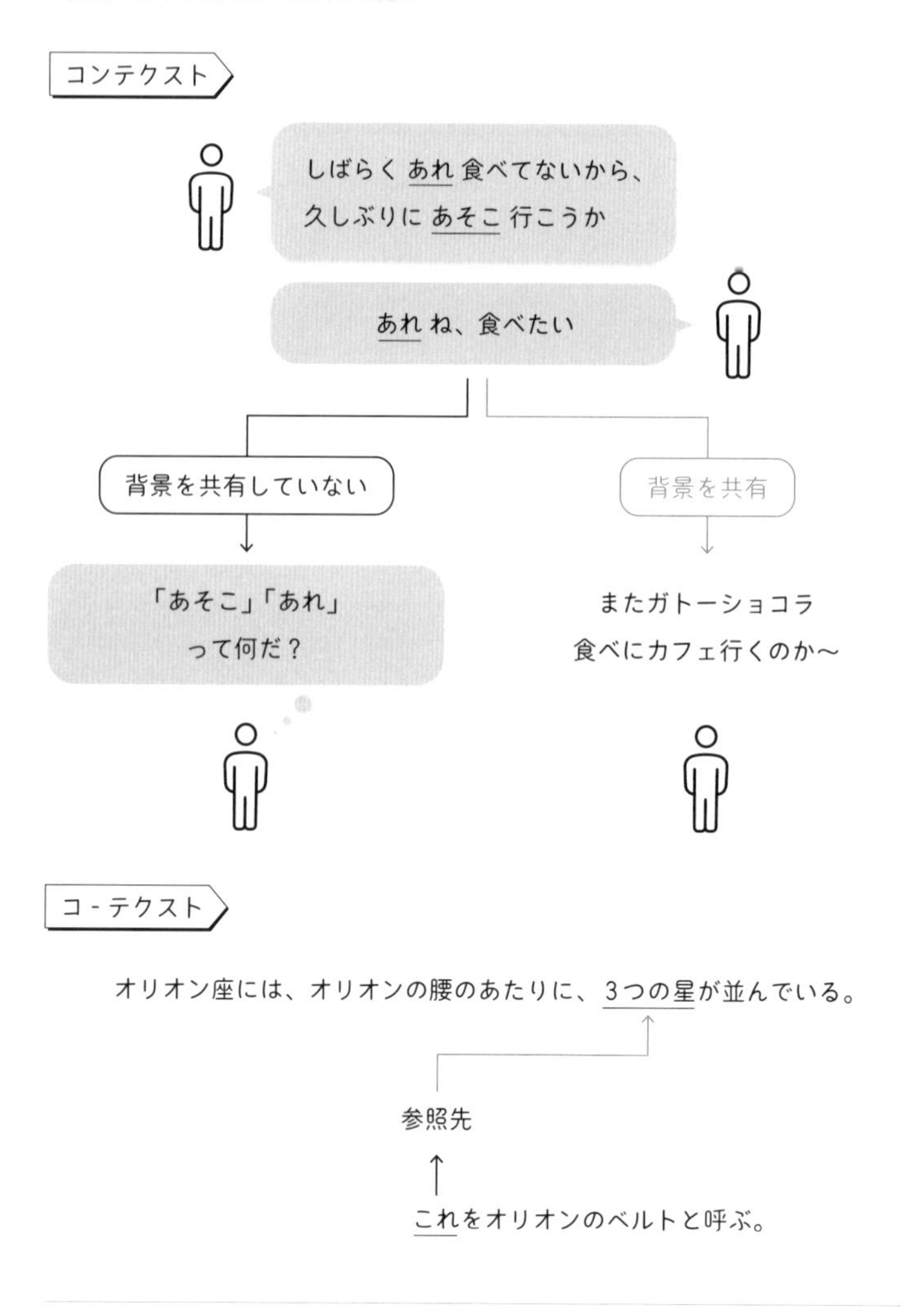

しかし、仮に、会話をしている人たちは、定期的にガトーショコラが美味しいカフェに通っているという背景を共有していれば、ただ「あれ」「あそこ」だけでも、解釈できます。

このような言外の状況や背景のことをコンテクストと言います。

コンテクストが言外の状況や背景を指すのに対して、文脈は会話内や文章内の言葉の関係を示し、コンテクストと区別して**コ-テクスト**（co-text）と言います。

コ-テクストを考える際には、特定の句や文がどのような言語的環境（前後の文や段落など）で使用されているかが焦点となります。

例えば、

- **オリオン座には、オリオンの腰のあたりに、3つの星が並んでいる。これをオリオンのベルトと呼ぶ**

という文があったとしましょう。

この文にも先ほどの「あれ」「あそこ」と同様「これ」という指示詞が含まれますが、ここでは、「これ」が「3つの星」を指していることがわかるので、文の解釈ができます。

このような、会話や文章の中で成立する言葉の関係をコ-テクストと言います。小説などで言うところの伏線などもコ-テクストの一種に該当し、会話や文章において、そのテキスト内だけの特別な意味を言葉の解釈に与える場合があります。

なお、ある意味では、生成ＡＩは、このコ-テクストを、一つの会話や文章だけでなく、さまざまな言語で書かれた大規模データから学習していると言うことができるのかもしれません。

コンテクストとコ-テクストが区別できたところで、コンテクストに焦点を当てて、生成ＡＩとの対話における状況設定の伝え方について考えていきましょう。

コンテクストによる対話の変容

言語学でコンテクストがどう理解されているかを説明する前に、もう一度着目しておきたいのが、生成ＡＩとの対話は、コンテクストの説明の仕方で大きく変わるというところです。

第3章でも、プロンプトに**状況設定**を加える場合と加えない場合とでは、「教育で生成AIの利用方法にはどのようなものがありますか。3つ教えてください。」という指示に対する生成AIの回答が変わることを説明しました。

生成AIとの対話は、プロンプトに**状況設定**を含めるか否かだけでなく、さらに、どのように**状況設定**を説明するかによっても変わります。

例えば、次の2つのプロンプトに対する生成AIの回答を比べてみましょう。

プロンプト4－1と4－2は、ともに、「あなたは物理学者です」と、生成AIにどんな立場で回答してもらいたいかを示しています。

2つのプロンプトの違いは、4－2では、「**私は、小学生です**」と対話者がどんな立場なのかも追加で説明しているところです。

プロンプト4－1 **重力とは何かの説明（対話者指定なし）**

#**状況設定**：あなたは物理学者です。
#**指示**：重力とは何か、一行で説明してください。

プロンプト４－２　**重力とは何かの説明（対話者指定あり）**

#**状況設定**：あなたは物理学者です。私は、小学生です。
#**指示**：重力とは何か、一行で説明してください。

これらのプロンプトに対する生成ＡＩの回答が次のものです。

生成ＡＩの回答（４－１）

重力とは、質量をもつ物体同士が引き合う力である。

生成ＡＩの回答（４－２）

重力とは、物体が互いに引き寄せ合う力のことだよ。

これら2つの生成ＡＩの回答を比べると、状況設定をどう説明するかによって回答の仕方が変わっているのがわかります。

回答４－２は「私は、小学生です」と伝えたことで、回答４－１に比べてやわらかい表現が用いられています。

自分の目的や意図に合った回答を生成ＡＩから引き出すには、コンテクストをどう生成ＡＩに伝えるかが重要だということがわかります。

コンテクストを伝える重要性について確認したところで、言語学ではコンテクストをどう捉えるのかを見てみましょう。

言葉に影響を及ぼすコンテクストの選択肢

▼コンテクストの種類と要素

言語理論によってコンテクストの捉え方もさまざまなのですが、コンテクストを説明する概念の一つに、状況のコンテクスト（Context of Situation）と呼ばれるアプローチがあります。

このアプローチでは、会話や文章に影響を与えるコンテクストの要素として、**フィールド**、**テナー**、**モード**の3つを挙げています。

具体例として、「数学の授業」のコンテクストをこれら3つの観点からどう説明できるか見てみます。

フィールドは、コンテクストで起こっている出来事、また、その出来事に関与する参与者・物のことを指します。次ページの図のフィールドでは、数学の授業が行われており、先生、生徒がこの出来事に関与しています。

▶ 状況のコンテクスト

フィールド		テナー		モード	
出来事	数学の授業	関係	上下関係	目的	情報・知識伝達
参与	先生、生徒	距離	近い	形式	会話

テナーは、コンテクストにおいて、誰がどのような立場・役割を持っているか、立場・役割は当該のコンテクストに限定されるものか、それとも、それ以外でも成り立つものかなど、話し手と聞き手、書き手と読み手の立場や関係性のことを指します。

図のテナーでは、先生は生徒に教える立場にあり、この状況では、生徒より上の立場にあると考えられます。仮に先生が、生徒のクラスの担任とした場合、先生と生徒は、比較的近い間柄かもしれません。

モードは、コンテクストにおける言葉の役割、またその役割に応じた文章や会話の形成方法などのことを指します。図のモードでは、言葉は情報や知識を伝達することを目的に使用されています。また、教科書は書き言葉なのに対して、授業では、教科書の内容や先生の知識は、会話形式で主に生徒に共有されます。

大まかにまとめると、このアプローチでは、我々が文章を書いたり、会話をしたりする際にコンテクストがどう影響するかを説明するには、当該のコンテクストで、

- どんなことが起きているか
- 誰がどんな立場で関わっているか
- 言葉の役割はどんなものか

を特定することが重要だとされています。

概要を把握したところで、さらに詳しく、フィールド、テナー、モードとは何かを見ていきましょう。

▼ フィールドの選択が言葉に与える影響

フィールド要素では、特に次の2つが、我々が文章を書いたり、会話をしたりする際の言葉の選択に影響を与えると考えられています。

①コンテクストのトピック（もしくは、分野）の選択
②コンテクストで起きる出来事・行為

トピック・分野の選択は、例えば、会話や文章に現れる語彙の選択に強く影響します。数学が分野のコンテクストと、国語が分野のコンテクストでは、使用される語彙がだいぶ異なってくるでしょう。数学と国語の授業で、「微分」「積分」という語彙の出現率は全く違っていると考えられます。

出来事・行為の選択でも似たようなことが言えます。
授業と料理を比べて考えてみましょう。

授業では、「正三角形とは各辺の長さが等しい三角形のことです」のように「○○は△△です」といった物事を関連付けるような表現がよく出てきます。

一方、料理をする際には、「玉ねぎを5分炒めて」のように、物質に何かしらの変化を加えるような表現が多く選択されます。

このように、コンテクストで扱われる出来事によって、言葉の選択は影響を受けます。

▼テナーの選択が言葉に与える影響

テナーの要素では、次の3つが言葉の選択に影響を与えると考えられています。

①話し手と聞き手の社会的な立場
②当該の状況における立場
③話し手と聞き手の距離

①話し手と聞き手の社会的な立場は、例えば、会話や文章に現れる発話機能の選択に強

く影響します。

第5章で詳しく説明しますが、大まかに言うと、発話には、**陳述**（情報の提供）、**質問**（情報の要求）、**オファー**（物・サービスの提供）、**指示**（物・サービスの要求）、の4つの機能があります。

例えば、買い物をするときの会話では、店員は提供する側に立つので、オファー（「こちらのキャットフードはいかがでしょう。」など）と陳述（「このキャットフードは、健康を第一に考えた、高品質なものです。」など）の発話のほうが、質問や指示の発話よりも多くなるでしょう。

②当該の状況においてのみ与えられる話し手と聞き手の立場も、同様に言葉の選択に影響します。

話し手と聞き手の立場は、社会的な要因によって決まるものもありますが、状況によっては、社会的な立場よりも「場」における役割のほうが優位になることもあります。

例えば、ある会社の社長が、初めてスキーのインストラクションを受けるとしましょう。会社では、部下に指示をすることが多いかもしれませんが、スキーを教えてもらう立場にある場合は、インストラクターのほうが指示表現を使うことが多くなったりします。

③話し手と聞き手の距離は、例えば、第1章で述べたように、挨拶表現の選択（おはようございます vs. おはよう）に影響しますし、また、相手をどのように呼称するかの選択にも影響を与えます。

相手との距離がまだ遠かったときには、相手を苗字で「さん」付けで呼んでいたのが、仲がよくなって、名前を呼び捨てにするようになったりします。

これら3つの要素は、相互に影響するので、厳密に区別することは難しい場合もありますが、複数の観点から見ることで、話し手と聞き手の関係をより詳細に説明することができます。

▼ モードの選択が言葉に与える影響

モードの要素では、次の2つが言葉の選択に影響を与えると考えられています。

①文字か音声かの選択

②言葉の使用目的

①文字を使うか音声を使うかの選択は、例えば、文にどのくらい情報を詰め込むかに影響します。

一般的に、文字で書かれた文章は、読み手が一度読んでわからなかったような場合でも、すぐに読み返すことができるので、より多くの情報を一つの文に詰め込む傾向にあります。一方で、音声で話す場合には、一度で聞き取り、ダイナミックに会話を展開していく必要があるので、あまり一文に情報を詰め込まないようにする傾向にあります。

例えば、大学で課題として出た論文を読んでも理解できなかったことが、講義で同じ内容について説明を受けたら、理解できたというようなことはないでしょうか。

もちろん、先生の説明力によるところが大きいでしょうが、文字から音声に切り替えることで、同じ内容でも、一文に詰め込まれる情報量が減り、わかりやすくなることも貢献しているでしょう。

②言葉の使用目的は、会話や文章で使用される語彙や文法だけでなく、会話や文章全体の構成にも影響を与えます。

例えば、第2章で、誰かの生い立ちを振り返る際には、「1984年には……。1985年には……」など、時間表現を文の主題にする傾向があることを述べました。

このように、言葉の使用目的によっても、会話や文章でどのように言葉を使うかは変わってきます。

言葉の使用目的はさまざまで、物語のように、誰かを楽しませるために言葉を使用する場合もありますし、ネットニュースの記事などのように、情報を提供することを目的に言葉を使うこともあります。また、誰かを説得するために言葉を使う場合もあれば、出来事を振り返るために言葉を使うこともあります。

言語の機能的な側面を重視して、テキストの類型を特定し、その特徴を分析する研究を言語学ではジャンル分析と呼び、各ジャンルの目的に合った内容の伝え方、文章の構成、語彙・文法の選択があることなどが明らかになっています。

では、フィールド、テナー、モードの知見を使って、どのように生成AIに状況設定を伝えるのがいいかを考えてみましょう。

コンテクストを生成AIに伝える効果とは

▼ 生成AIにコンテクストを説明する方法

コンテクストが言葉に与える影響について言語学的知見にもとづき理解したところで、次に、生成AIにコンテクストを伝えることが、生成AIの回答する能力やスキルにどう影響するかを見てみましょう。

第1章で述べた通り、生成AIと人との対話と、人同士の対話の違いの一つは、人同士の対話であれば無意識のうちになされているようなコンテクストの選択が、生成AIとの対話では、対話者が自分で選択し、生成AIに伝えることができるというところです。

また、第3章で述べた通り、状況設定の説明は、プロンプトを書く際にはオプショナルな要素です。状況設定を伝えなくてもよい指示や質問もあるでしょう。

例えば、「日本で高い山トップ3の名前、標高、場所を表にして」など、何かシンプルな事実確認をするような場合は、特に状況設定を説明しなくても、回答に含まれる内容に大きな違いはないかと思います。

一方で、生成ＡＩがどのような立場で回答するかによって、答えの内容や答え方が変わってくるような場合は、状況設定をプロンプトに含めたほうが、より生成ＡＩの能力を引き出すことができるでしょう。

では、実際に、生成ＡＩとの対話で、状況設定の説明の仕方によって生成ＡＩの回答にどのような影響があるのか、フィールド、テナー、モードの観点を使って、見ていきます。

▼フィールドの説明

フィールド（当該のコンテクストでどんなことが起きているか）を説明することで、生成ＡＩとの対話の「内容」をより目的に合致したものにすることができます。

同じ指示や質問でも、生成ＡＩにフィールドを説明するか否かによって、回答の内容が変わってきます。

フィールドの説明をプロンプトに含める場合と含めない場合とで、生成AIの回答の変化を見てみましょう。

生成AIに対話のフィールドについて説明するには、次の2つを伝えます。

①対話で想定するトピック・分野

②対話で想定する出来事・行為として何を選択するのか

ここでは例として、星座について生成AIに質問する場合、会話のフィールドを説明する場合と、しない場合とで、生成AIの回答にどのように影響するかを見てみましょう。

まずは、フィールドの説明がなく、指示だけをプロンプトに含める場合です。

プロンプト4-3　星座とは何かの説明（フィールドの説明なし）

#質問：星座について教えてください

生成ＡＩの回答

星座とは、天球を赤経・赤緯の線に沿った境界線で区切った領域のことです。かつては、複数の恒星が天球上に占める見かけの配置を、その特徴から連想した人、神、動物、物などさまざまな事物の名前で呼んだものでした。

現在、国際天文学連合（ＩＡＵ）によって、全天を88個の星座に分けています。この88個の星座は、その大きさや形、位置などによってさまざまな特徴があります。

例えば、オリオン座は、冬の夜空に輝く大きな星座で、オレンジ色の超巨星ベテルギウスや、青白い恒星リゲルなど、明るい星がいくつも集まっています。

質問だけした場合、星座について一般的な情報を回答しています。

続いて、会話で想定するトピックを「キャンプ」、出来事を「星座を見ながら会話を楽しむ」として、プロンプトにフィールドの**状況設定**を加えて、生成ＡＩに同じ質問をしてみましょう。

プロンプト 4-4 星座とは何かの説明（フィールドの説明あり）

#状況設定
キャンプで、星が綺麗なところにいきます。できたら、そこで星座を見ながら会話を楽しみたいと思っています。

#質問：星座について教えてください。

生成AIの回答

かしこまりました。星座について、以下に簡単に説明させていただきます。

星座とは、天球を赤経・赤緯の線に沿った境界線で区切った領域のことです。古代より、複数の恒星が天球上に占める見かけの配置を、その特徴から連想した人、神、動物、物などさまざまな事物の名前で呼んだものでした。

〈抜粋〉

キャンプで星座を見ながら会話を楽しむには、以下の点に注意するとよいでしょう。

- できるだけ暗い場所を選ぶ。
- 双眼鏡や望遠鏡があると、より楽しめます。
- 星座図鑑やアプリを使って、星座の名前や位置を確認しながら見ましょう。
- 星座にまつわる神話や伝説を調べておくと、会話が盛り上がります。

以下に、キャンプで星座を見ながら会話する際の、一例をご紹介します。

- 星座の名前や位置を当てっこする。
- 星座にまつわる神話や伝説について語り合う。
- 自分の好きな星座や、印象に残っている星座について話す。
- 星空の美しさや宇宙の広大さについて語り合う。

星座を見ながら会話することで、普段の生活では味わえないような、特別な時間を過ごすことができるでしょう。ぜひ、キャンプで星座観察を楽しんでみてください。

プロンプトに、「星座について教えてください」という質問だけでなく、キャンプに行って星を見ながら楽しみたいと会話のフィールドについて説明を加えました。

すると、生成ＡＩは、フィールドの説明がなかった場合と同様に、まずは、星座についての一般的な情報からスタートしましたが、続いて、星を見ながら会話をするときのポイントや、どんな内容で会話するのがいいかを、回答するようになりました。フィールドについて説明することで、フィールドについて説明しない場合とは異なった知識やアイディアを生成ＡＩから引き出すことができることがわかります。

人同士の対話でも、質問の背景を知っている場合と、そうでない場合では、同じ質問に対する回答でも、内容が異なってくることがあります。

生成ＡＩは、対話者がどのトピック・分野において、どのような行為や出来事を想定して回答してほしいかを知っているわけではありません。

生成ＡＩとフィールドのコンテクストを共有することで、より具体的で関連性の高い内容の回答を生成ＡＩから引き出すことができます。

テナーの説明

テナー（誰がどんな立場で関わっているか）を説明することで、生成ＡＩとの対話の「専門性、難しさ、易しさ」、もしくは、対話における「視点」をコントロールしたり、場合によっては回答の「正確性」を向上させたりすることができます。

テナーの説明をプロンプトに含める場合と、含めない場合とで、生成ＡＩの回答がどう変わるかを見てみましょう。

生成ＡＩに対話のテナーについて説明するには、次の３つを伝えます。

①話し手と聞き手の社会的な立場
②当該の状況における立場
③話し手と聞き手の距離

ここでは例として、生成ＡＩに「次の問題に答えてください。光合成の仕組みについて、説明してください」と指示する場合、会話のテナーを説明する場合と、しない場合とで、生成ＡＩの回答にどのような影響が出るかを見てみましょう。

まずは、テナーの説明を生成ＡＩにしない場合です。

プロンプト４－５ 光合成の仕組みの説明（テナーの説明なし）

#指示：次の問題に答えてください。
#問題（入力値）：光合成の仕組みについて、説明してください。

このプロンプトに対して、生成ＡＩは次のように回答しました。

生成ＡＩの回答

光合成とは、植物などの光合成生物が、太陽光のエネルギーを利用して、空気中の二酸化炭素と水から、デンプンや糖などの有機化合物と酸素を合成する反応です。
光合成の仕組みは、大きく分けて2つの過程からなります。

1．光化学系による光エネルギーの利用
葉緑体のチラコイド膜には、光合成色素と呼ばれるタンパク質が含まれています。光合成色素は、太陽光のエネルギーを吸収し、そのエネルギーを光化学系と呼ばれる複合体に伝えます。光化学系は、このエネルギーを使って、水を分解し、酸素を発生させます。

2．カルビン回路による二酸化炭素の固定

光化学系によって発生した酸素は、気孔から外界に放出されます。一方、光化学系で得られたエネルギーは、カルビン回路と呼ばれる反応系によって、二酸化炭素を有機化合物に固定するために利用されます。カルビン回路では、二酸化炭素と水を原料にして、デンプンや糖などの有機化合物が合成されます。

光合成は、地球上全ての生物にとって重要な反応です。光合成によって、地球上のほとんどの酸素が生成され、植物や動物が呼吸するための酸素源となっています。また、光合成によって生成された有機化合物は、植物や動物のエネルギー源として利用されています。

テナーを生成ＡＩに伝えず指示だけ出した場合は、まず、光合成とはどういったものかを説明した後、光合成の仕組みについて、酸素を発生させる過程と、有機化合物を合成する過程を説明しています。

続いて、状況設定として、テナーについて生成ＡＩに伝えることとします。

ここでは、対話者の社会的な立場について「私は小学生です」と生成ＡＩに伝えてみましょう。

プロンプト４－６　光合成の仕組みの説明（テナーの説明あり）

#**状況設定**：私は小学生です。
#**指示**：次の問題に答えてください。
#**問題（入力値）**：光合成の仕組みについて、説明してください。

生成ＡＩの回答

小学生向けの簡単な説明
植物は、葉っぱに太陽の光を当てて、空気中の二酸化炭素と土の中の水から、デンプンなどのご飯を作るんだよ。

植物は、葉っぱに葉緑体という小さな工場を持っているんだよ。葉緑体の中に、光エネルギーを吸収するクロロフィルという色素があるんだ。

太陽の光が葉緑体に当たると、クロロフィルが光エネルギーを吸収して、水を分解して酸素と水素を作るんだよ。

水素は、次にデンプンを作るのに使われるよ。デンプンは、植物のエネルギー源になるんだ。

光合成は、私たちや動物が生きていくために、とても大切なんだよ。


先ほどとは異なり、今回は、小学生向けの簡単な説明として、「デンプンなどのご飯を作る」や「葉緑体という小さな工場を持っている」といった比喩表現を使うなど、回答の専門性を代えています。

このように、テナーを説明することで、生成ＡＩから回答を引き出す際に、対話者のレベルや専門知識に合わせて、対話の専門性などを操作することができます。

モードの説明

モード（コンテクストにおける言葉の役割はどんなものか）を説明することで、目的に合ったかたちで生成ＡＩに回答を構成させることができます。

同じ指示や質問であっても、生成ＡＩへのモードの説明の仕方によって、生成ＡＩがどのように内容を提示し、会話や文章を構成するかが変わってきます。

生成ＡＩに対話のモードについて説明するには、次の２つを伝えます。

①文字か音声かの選択

②言葉の使用目的

モードの説明をプロンプトに含める場合と、含めない場合とで、生成ＡＩの回答がどう変わるかを見てみましょう。

例として、生成ＡＩに「環境問題の具体例を３つ挙げなさい」と指示するとき、会話のモードを説明する場合と、しない場合とで、生成ＡＩの回答がどのように異なるのか見てみましょう。

特にここでは、言葉の使用目的を伝える場合と伝えない場合とで、回答の構成方法がどう変わってくるのかを見てみましょう。

まずは、モードの説明を生成ＡＩにしない場合です。

プロンプト４－７　環境問題の具体例の列挙（モードの説明なし）

＃指示：環境問題の具体例を3つ挙げなさい。

生成ＡＩの回答

かしこまりました。環境問題の具体例を3つ挙げさせていただきます。

1．地球温暖化

地球温暖化とは、地球の平均気温が上昇する現象です。人間の活動によって大気中の二酸化炭素などの温室効果ガスの濃度が増加することで、太陽からの熱が地球に閉じ込められ、平均気温が上昇します。地球温暖化は、海面上昇、異常気象、極端気象などの様々な影響を引き起こしています。

2. 海洋汚染

海洋汚染とは、海洋環境に有害物質が流入することで、海洋生物や生態系に悪影響を及ぼす現象です。海洋汚染の原因としては、生活排水や工業廃水、石油流出、海洋ゴミなどが挙げられます。海洋汚染は、海洋生物の大量死、生態系の破壊、食料安全保障の脅威などの影響を引き起こしています。

3. 生物多様性の消失

生物多様性の消失とは、地球上の生物の種類や個体数、生態系の多様性が減少する現象です。生物多様性の消失の原因としては、人間の活動による環境破壊、気候変動、外来種の侵入などが挙げられます。生物多様性の消失は、生態系のバランスの崩壊、自然災害のリスクの増加、人間の健康への影響などの影響を引き起こしています。

これらの環境問題は、地球全体に深刻な影響を及ぼしており、早急な対策が求められています。

なお、環境問題の具体例は、他にも多数存在します。例えば、大気汚染、水質汚濁、土壌汚染、森林破壊、化学物質汚染、資源枯渇、騒音、振動、廃棄物問題などが挙げられます。

プロンプトにモードの説明を含めない場合、「地球温暖化」「海洋汚染」「生物多様性の消失」を具体例として挙げて、各例では、どのような問題か、また、その問題がどんな影響を及ぼしているかが、回答されています。

では、プロンプトにモードの説明を加えると、生成ＡＩの回答はどう変わるかを見てみましょう。

ここでは、「文書の目的は読者に環境問題の解決が必須だと説得すること」と、言葉の使用目的についての説明を加えてみます。

プロンプト４－８　環境問題の具体例の列挙（モードの説明あり）

＃**状況設定**：論説文を書いていて、文書の目的は読者に環境問題の解決が必須だと説得することです。

＃指示：環境問題の具体例を３つ挙げなさい。

生成ＡＩの回答

環境問題の具体例
環境問題とは、人間の活動によって地球環境に変化が生じた結果として発生する様々な問題のことです。その具体例は多岐にわたりますが、ここでは論説文の目的である読者に環境問題の解決が必須だと説得するために、以下の３つを挙げます。

１．地球温暖化
地球温暖化は、人間活動によって排出された温室効果ガスが大気中に蓄積し、地球の平均気温が上昇する現象です。その結果、海面上昇、異常気象、生態系の変化など、さまざまな問題を引き起こしています。

地球温暖化は、すでに深刻な影響を及ぼしており、今後もさらに悪化する可能性があります。

そのため、早急な解決が求められています。

2. 海洋汚染

海洋汚染とは、海にゴミや有害物質が排出されることで、海の生態系や人間の健康に悪影響を及ぼす現象です。その原因は、プラスチックごみや化学物質の流出、漁業による残渣など多岐にわたります。

海洋汚染は、海洋生物の死滅や漁業被害、さらには人体への健康被害など、さまざまな問題を引き起こしています。そのため、海洋環境の保全と持続可能な利用が求められています。

3. 生物多様性の喪失

生物多様性の喪失とは、地球上に存在するさまざまな生物の種類や個体数が減少する現象です。その原因は、森林伐採、乱獲、環境汚染など多岐にわたります。

生物多様性の喪失は、生態系のバランスを崩し、地球環境の悪化につながります。そのため、生物多様性の保全が求められています。

これらの環境問題は、人間の生活や地球環境に深刻な影響を及ぼしています。そのため、早急な解決が求められています。

論説文では、これらの環境問題の具体例を挙げ、その深刻さや解決の必要性を説得的に訴えることが重要です。

生成ＡＩが具体例として挙げたものは「地球温暖化」「海洋汚染」「生物多様性の喪失」（「消失」が「喪失」になりましたが）と変わりません。

先ほどのプロンプトに対する回答では、具体例とその影響を説明することを主としていました。しかし、モードの説明を加えたことで、今回は、環境問題の解決が必要な理由として、具体例の情報を提示するように回答の構成が変化しています。

例えば、「海洋汚染」のセクションを見てみると、プロンプト４－７の回答では、「原因↓影響」という構成が使われていました。「有害物質」が原因で「海洋生物の大量死」などの悪影響が出ているといった修辞的な構造をとっていました。

一方でプロンプト４－８の回答では、モードの説明として「読者に環境問題の解決が必須だと説得すること」と伝えたことで、読者を説得するような文章構成に変わっています。「海洋汚染」のセクションの構成は、「根拠（原因↓影響）↓主張」というように修辞的構造が変化しています。

プロンプト４－７の回答では、具体例を説明するため「有害物質」と「海洋生物の大量死」などの悪影響について述べていました。しかし、プロンプト４－８の回答では、「有害物質」が原因で「健康被害」が出ているから「海洋環境の保全と持続可能な利用」が必要だと、原因と影響の記述が主張をするための根拠として表されています。

このように、モードを説明することで、目的に合致した構成に整理された回答を生成AIから引き出すことができます。

生成AIに状況設定を伝えるテクニック

▼状況設定による生成AIの知識・スキルのカスタマイズ

コンテクストを伝えることによって、生成ＡＩの回答が変わってくることを見てきました。

３つの観点からそれぞれ、

- フィールド（当該のコンテクストでどんなことが起きているか）は対話の内容に
- テナー（誰がどんな立場で関わっているか）は対話の専門性や視点に
- モード（コンテクストにおける言葉の役割はどんなものか）は対話の構成に

影響を与えます。

状況の説明が生成ＡＩの回答にどのように影響するかを把握したところで、対話の目的に合った回答を生成ＡＩから引き出せるように、フィールド、テナー、モードの状況設定の記述を工夫してみましょう。

コンテクストを伝えて自分の目的に合った回答を生成ＡＩから引き出すということは、ある意味、「生成ＡＩを自分用にカスタマイズしている」ことと考えることができます。

人同士の対話でも、相手や場の雰囲気に合わせて、我々は会話の仕方を変えています。会社の同僚と話すときの会話、学校での会話、学会発表での話し方など、状況に合わせて目的に合った言葉の選択を行います。

明示的にコンテクストを生成ＡＩに伝えることで、似たような現象が起きます。コンテクストを伝え、生成ＡＩにどの引き出しから、どの知識やスキルを持ってくればよいかを伝える、いわば、会話のヒントを与える効果があるようです。

状況設定の伝え方

では、コンテクストを状況設定として生成ＡＩに伝えるテクニックについて見ていきます。

本章で説明したフィールド、テナー、モードの観点のポイントは、次になります。

フィールド（コンテクストで、何が起きているか）

①トピック・分野（例：キャンプ）

②出来事（例：会話を楽しむ）

テナー（コンテクストにおける話し手や聞き手の立場や関係）

①話し手と聞き手の社会的な立場（例：小学生と学校の先生）

②当該の状況における立場（例：スキー教室の先生と生徒）

③話し手と聞き手の距離（例：親しい関係、対立関係）

モード（コンテクストにおける言葉の役割）

①文字か音声かの選択（例：文章か会話か）

②言葉の使用目的（例：説得する、楽しませる、説明する）

本章ではここまで、フィールド、テナー、モードを生成ＡＩに伝えることの効果を見るために、それぞれの要素の説明を別々にプロンプトに含めてきました。

しかし、実際に生成ＡＩと対話する際には、これらの観点を組み合わせて、状況設定を生成ＡＩに伝えることが必要になる場合もあります。

そこで、複数のコンテクスト要素を伝える場合の、基本テンプレートを紹介しておきます。

まずは、基本テンプレートを使用し、慣れてきたところで、目的に応じて、テンプレートの一部のみを使ったり、文言を少し変えて試してみたりするのもよいと思います。

状況設定を説明するためのテンプレート

フィールド

［トピック・分野］について、［出来事・行為］することを想定しています。

テナー

あなたは［生成AIの立場］、私は［対話者の立場］で、［近い・遠い・対立関係など］間柄にあると仮定します。

モード

この［会話・文章］の目的は［言葉の使用目的］することです。

テンプレートだけだとわかりにくいので、具体例も一つ見てみましょう。
今までと同様に、**状況設定**を説明する場合としない場合とで比べます。

例として、猫の画像とキャプションを初めてＳＮＳに投稿したいので、画像にキャプションを付けるときのコツを生成ＡＩに聞いてみるというシチュエーションで考えてみましょう。
まずは、プロンプトに**状況設定**の説明を含めない場合です。

プロンプト４－９　画像キャプションの書き方（状況説明なし）

＃**指示**：画像に付けるキャプションの書き方のコツを教えてください。

生成ＡＩはこの指示に対して、次のように回答しました。

生成ＡＩの回答

画像に付けるキャプションの書き方のコツは、以下の３つです。

1．画像の内容を簡潔に説明する

キャプションの第一の役割は、画像の内容を簡潔に説明することです。画像に写っている人物や物事、場所、出来事などを、誰が見てもわかるように説明しましょう。

2．画像の印象を補足する

キャプションでは、画像の印象を補足することもできます。画像に写っている人や物事に対する感想や、画像から感じたことなどを述べましょう。

3．画像の魅力をアピールする

キャプションでは、画像の魅力をアピールすることもできます。画像の特徴やポイントを強調することで、見る人の興味を引きつけましょう。

続いて、プロンプトに、「状況設定を説明するためのテンプレート」を使って、状況設定の説明を含めてみます。

まず、フィールドを説明するために、会話のトピックとどのような出来事・行為を想定するかを考えます。ここでは、トピックは「愛猫にゃん吉」、出来事・行為を「SNSに画像とキャプションを投稿」することと想定してみました。

テナーを説明するためには、生成AIと対話者の立場、および、その関係をどのように位置付けるかを考えます。

ここでは、生成AIの立場は「猫ジャンルでトップのインスタグラマー」、対話者（私）の立場を「あなたの（インスタグラマーの）友達で、画像とキャプションの初心者投稿者」としました。

また、関係は、「親しい」間柄にあると仮定しました。

最後に、モードの説明です。

モードを説明するためには、会話か文章か、また、この会話での言葉の使用目的について伝えます。

ここでは「会話」と想定し、目的を「良いキャプションの書き方を説明する」こととしました。

では、フィールド、テナー、モードの**状況設定**を、先ほどのテンプレートを使って生成

ＡＩに伝える場合のプロンプトがどのようなものか、また、このプロンプトによって生成ＡＩの回答がどう変わるのか、見てみましょう。

なお、次のプロンプトでは、テンプレートに代入した箇所を［］で表しています。

実際のプロンプトに［］を含める必要はありません。

プロンプト４－10

画像キャプションの書き方（状況説明あり）

＃状況設定：
［愛猫にゃん吉］について、［ＳＮＳに画像とキャプションを投稿］することを想定しています。
あなたは［猫ジャンルでトップのインスタグラマー］、私は［あなたの友達で、画像とキャプションの初心者投稿者］で、［親しい］間柄にあると仮定します。
この［会話］の目的は［良いキャプションの書き方を説明する］ことです。
＃指示：
画像に付けるキャプションの書き方のコツを教えてください。

このフィールド、テナー、モードの説明が全て含まれているプロンプトに対する生成AIの回答を見てみます。

生成ＡＩの回答

私：ねえ、にゃん吉の画像を投稿しようと思ってるんだけど、キャプションってどう書けばいいかな？
あなた：キャプションは、画像の説明や、投稿者の感情や考えを伝えるためのものだよ。
私：なるほど。じゃあ、にゃん吉の性格や特徴を書いてみようかな。
あなた：それもいいけど、見てわかることは書かないようにするのがポイントだよ。たとえば、にゃん吉が寝ている画像を投稿するなら、「にゃん吉が寝てます」って書く必要はないよね。
私：あ、そうだよね。じゃあ、にゃん吉の好きな遊びや、最近の出来事とかを書いてみようかな。
あなた：それもいいね。にゃん吉の魅力が伝わるキャプションになると思うよ。
私：あと、ハッシュタグってどうやってつけるの？

あなた：ハッシュタグは、画像のテーマや内容を表すキーワードを#（シャープ）で囲んでつけるんだよ。たとえば、にゃん吉の画像なら「#猫」「#にゃんこ」「#にゃん吉」とかをつけるといいね。

私　：なるほど。じゃあ、こんな感じで書いてみようかな。

私　：にゃん吉、今日も元気に遊んでます。ボールを追いかけて、キャットタワーを登って、大忙しです。

あなた：いいね。にゃん吉の様子がよく伝わるキャプションになったと思うよ。

私　：ありがとう。参考にして、もっと良いキャプションが書けるように頑張るよ。

あなた：応援してるよ。

私　：じゃあ、またね！

あなた：またね！

キャプションの書き方のコツ

- 見てわかることは書かない
- にゃん吉の魅力が伝わる
- ハッシュタグは画像のテーマや内容を表すキーワードをつける

このコツを参考に、にゃん吉の魅力が伝わるキャプションを書いてみてください。

フィールド、テナー、モードを説明したことで、生成ＡＩの回答が、

- 猫の画像を投稿するという出来事により関連性の深い内容へ（フィールド）
- プロンプト４－９の回答に比べて、くだけた表現に（テナー）
- 会話で友人がアドバイスをするという形式で、画像のキャプションの付け方のコツが説明される（モード）

というように変わりました。

このように、基本テンプレートを使用することで、言語学的知見を活かした状況設定を簡単に書くことができます。

本章で見てきたように、フィールド、テナー、モードの観点を使って状況設定を書き、生成ＡＩを自分の目的に沿うようにカスタマイズして、生成ＡＩの知識とスキルを引き出してみてください。

次章では、プロンプトにおける指示／質問の書き方について見ていきます。

第5章

指示／質問の説明で生成AIを誘導する

指示や質問とは言語学的にどういうこと？

▼発話機能の選択肢としての指示／質問

本章では、第3章で概説したプロンプトの構成要素、指示／質問の説明について詳しく見ていきます。

特に、指示や質問の仕方を工夫することによって、生成ＡＩが回答を生成するプロセスを誘導（どのような過程や条件を考慮して、回答を生成するかをコントロール）できるということを説明します。

第４章でも少し説明しましたが、言語学で、指示や質問は発話機能の種類として扱われます。発話機能は、次の２つの観点から大別されます。

① 扱われるものが、情報なのか、物・サービスなのか
② 行為が、要求か提供か

▶ 発話機能の種類

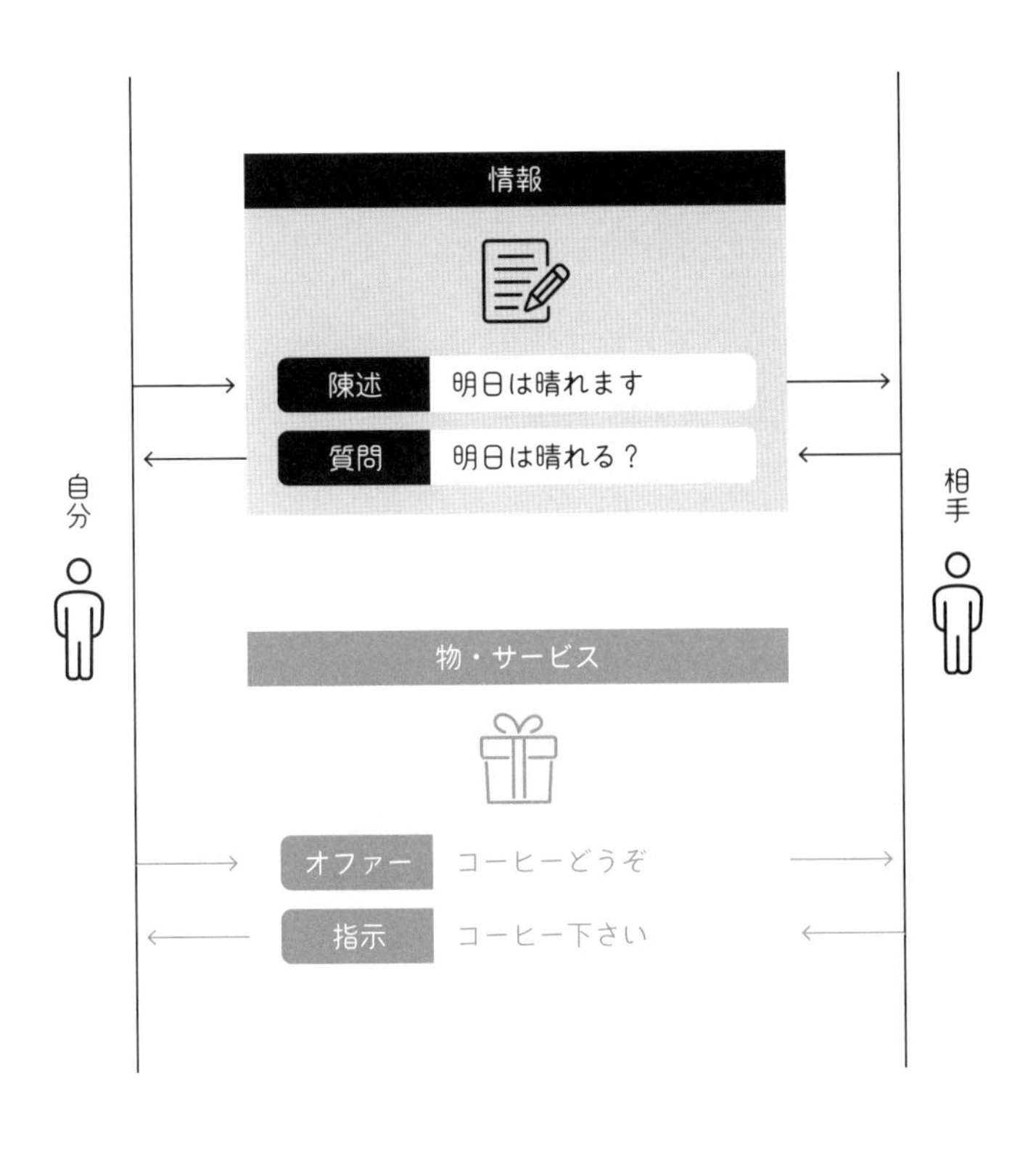

情報を提供する発話を**陳述**（例：明日は晴れます）、要求するためのものを**質問**（例：明日は晴れる?）、と言います。

一方、物・サービスを提供するものを**オファー**（例：コーヒーどうぞ）、要求するものを**指示**（例：コーヒー下さい）と呼びます。

なお、発話機能の分類で見ているのは、あくまで発話の働き（機能）であって、文の形式ではありません。

例えば、明日の天気を知りたいときに、「明日の天気は何ですか」とも聞けますし、「明日の天気を教えて」と聞くこともできます。

文法的に、前者は**疑問文**、後者は**命令文**と呼ばれる形式の文ですが、両方とも情報を要求しているので、発話機能は質問になります。

同様に、チョコレートを欲しい気持ちは、「チョコはありますか」「チョコを下さい」「チョコレート食べたいな」など、さまざまな方法で伝えることができますが、物（チョコレート）を要求している状況でこれらの表現が使用されるとき、発話機能はどれも指示になります。

▼指示／質問の説明で変わる生成AIの生成プロセス

第3章で述べた通り、**指示／質問の説明**は、生成AIに何かを行わせたり回答させたりする場合、プロンプトの必須要素と考えられます。

指示／質問の説明の仕方は、生成AIがどのように回答を生成するかを誘導するうえで重要になります。

例えば、第1章でも、生成AIに「じゅんさいは、美味しい」と「じゅんさいなおひとやな」という文を、評価を含む文かそうでない文かに分類させるとき、プロンプトに「まず、『じゅんさい』が表す意味について分析し」という手順を含めるか否かによって、正しい答えを導けるかどうかが変わってくることを見ました。

指示や質問の仕方を工夫して、生成AIが目的に沿った回答を生成できるように、導いてあげましょう。

なぜ指示や質問の仕方で生成AIの回答が変わってしまうのか。不思議な気もしますが、人同士でも同様のことが起きます。

例えば、いきなり数学の問題を出されて、答えを出しなさいと指示を受けた場合、答えられないこともあるかもしれません。しかし、「この問題は、こういう手順で考えたら解けるよ」と教えてもらってから問題を解くのであれば、いきなりでは解けなかった問題が、今度は答えを導けたりします。

また、焦っていて解けなかった問題でも、「ちょっと落ち着いてからもう一度ゆっくり考えてみなさい」と言われて、一つひとつ手順をゆっくり確認したら、正解できるような場合もあるでしょう。

このように、指示や質問をどう説明するのかは、生成ＡＩがアウトプットをするうえで、そのプロセスを左右し、結果的に、回答結果をも左右する重要な役割を持ちます。

指示／質問の説明をどう生成ＡＩに伝えるのか、言語学的知見を使って、詳しく見てみましょう。

指示／質問の仕方と補足の選択肢

▼指示や質問の仕方とは？

人と人のコミュニケーションでの指示や質問と言うと、会話の中の一つの発話（例えば「冷蔵庫から牛乳を持ってきて」）や、文章の中の一文（例えば「この製品は、屋内で使用してください」）を思い浮かべるかもしれません。

しかし一方で、作業マニュアルのように、何か特定の指示を実行するために、何十ページも手順や注意事項が記載されたものもあります。

プロンプトとして指示や質問を書くときも、一文だけで指示や質問を表す場合と、手順や条件など複数の要素と組み合わせて指示や質問を表す場合とがあります。

例えば、次のように、もともとシンプルなタスクでの指示や質問をするときは、それ以上の補足をする必要はないでしょう。

プロンプト５－１　漢字からひらがなへの変換

指示：次の漢字をひらがなにしてください
- 駿河湾

生成ＡＩの回答

駿河湾は、ひらがなで「するがわん」と書きます。

一方で、回答するのに複数の手順や過程が考えられる場合、回答の仕方にいろいろなパターンや条件がある場合などは、指示や質問を補足したほうが、より明確に回答の理想像を生成ＡＩに伝えることができる場合もあります。

例えば次のように、条件がある場合などです。

プロンプト５－２　キャッチコピーの提案

＃指示：富士山の魅力を伝えるメッセージを一文で作成して。
＃条件：ただし「星」「雲海」「富士山」のキーワードを含めて作成してください。

生成ＡＩの回答

かしこまりました。以下の一文でいかがでしょうか。

星降る雲海の上にそびえる富士山は、日本の美を象徴する神秘的な存在。

この一文では、富士山の「美しさ」「神秘性」「象徴性」の3つの魅力を表現しています。

このプロンプトでの指示は、富士山の魅力を伝える一文を考案してもらうことですが、条件として「星」「雲海」「富士山」という3つのキーワードを一文に含めるように補足してあります。

生成ＡＩは、この条件を考慮して、メッセージを作成していることがわかります。

指示や質問の仕方を工夫することによって、生成ＡＩがどう回答を生成するかを誘導することで、回答結果をより対話者の目的に合致したものに近づけることができます。

指示や質問を補足する選択肢

では、指示や質問に何かしらの補足をする場合、どのような選択肢があるのでしょうか。

言語学では、「富士山の魅力を伝えるメッセージを一文で作成して」と「ただし『星』『雲海』『富士山』のキーワードを含めて作成してください」のように、ある文を他の文が補足するような関係にあるときに、その関連性を**論理－意味関係**という考え方を使って分析します。

なお、補足される文のことを**主部**、補足する文のことを**従属部**と呼びます。

例えば、先ほどの例では、キーワードを指定する文は、当該の指示を実行する条件を補足するものなので、「富士山の魅力を伝えるメッセージを一文で作成して」が主部、「ただ

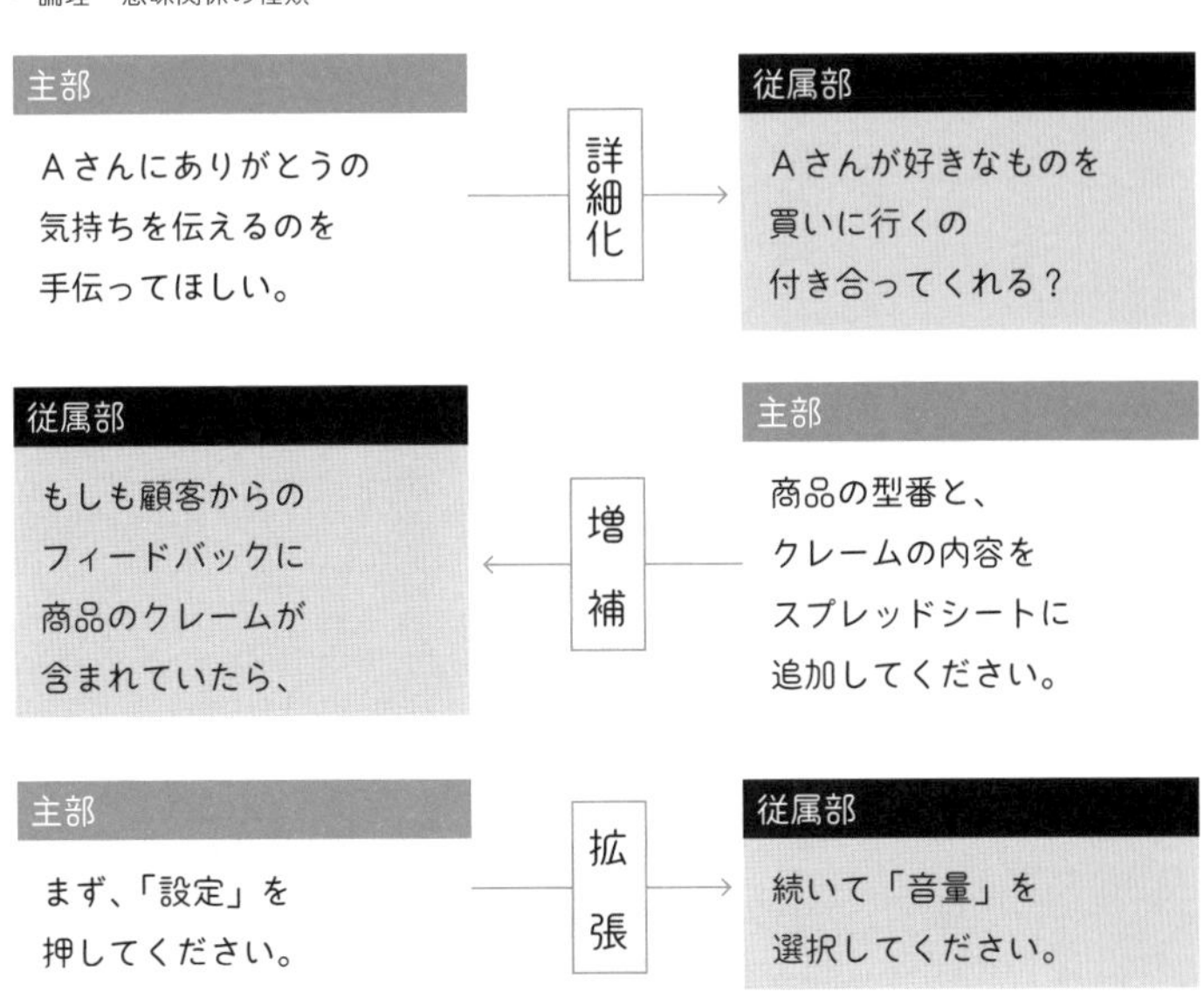

し『星』『雲海』『富士山』のキーワードを含めて作成してください」が従属部です。

論理－意味関係には、主部と従属部の関係として、大きく分けて**詳細化、増補、拡張**の3つがあると考えられています。

では、それぞれの関係について詳しく見ていきましょう。

詳細化の関係は、従属部が主部の指示や質問を言い換えたり、明確化したりするときに成り立ちます。

「つまり」「具体的には」「特

ます。

に」「実のところ」などの表現で、主部と従属部をつなぐことができるような場合が該当します。

例えば、次に記す文①と文②は、文②が「ありがとうの気持ちを伝えるのを手伝う」のが具体的にどういうことかを説明するものです。文②が文①の内容をより明確にしているので、これらの文は、詳細化の関係にあります。

文①：Aさんにありがとうの気持ちを伝えるのを手伝ってほしい。
文②：Aさんが好きなものを買いに行くの付き合ってくれる?

増補の関係は、従属部が主部に表された指示や質問を行う、手段、条件、原因、時間や場所などを提示する場合に成り立ちます。

「〜によって」「なぜなら」「もしも」「〜の場合」「〜であれば」「〜でない限り」「〜なら」「〜するとき」などの表現で、主部と従属部をつなぐことができるような場合が該当します。

例えば、次に記す文③と文④は、文③が文④の指示を実行する条件を示しているので、増補の関係にあります。

文③：もしも顧客からのフィードバックに商品のクレームが含まれていたら、
文④：商品の型番と、クレームの内容をスプレッドシートに追加してください。

また、次の文⑥のように、どのように指示や質問を実行するかを指定するようなものも増補の従属部になります。

文⑤：折り紙で折り鶴を3個作ってください。
文⑥：ゆっくりと落ち着いて、一つひとつ折ってください。

拡張の関係は、主部の指示や質問に対して、従属部が何か追加したり、代替案を提示したりするときに成り立ちます。「また」「続いて」「あるいは」などの表現や「〜したり、〜したりして」といった表現で、主部と従属部をつなぐことができるような場合が該当します。

例えば、文⑦と文⑧は、文⑦の指示に続いて文⑧の指示が追加されているので、これらの文は拡張の関係にあります。

文⑦：まず、「設定」を押してください。
文⑧：続いて「音量」を選択してください。

それでは、これらの言語学的知見を使って、生成ＡＩとの対話において、指示や質問をどのように書けばよいのか、また、生成ＡＩが回答を作成する過程をどのように誘導することができるのかを見てみましょう。

指示や質問の補足を生成AＩに伝える効果

▼論理-意味関係を使った回答作成プロセスの誘導

指示や質問を補足することによって、生成ＡＩがどのようなプロセスを経て、指示を実行するか、もしくは、質問に答えるのかが変わってきます。

では早速、指示や質問に、詳細化、増補、拡張による補足をした場合と、しない場合とで、生成ＡＩの回答がどのように違うのか、具体例とともに確認していきましょう。

▼詳細化による補足で、指示や質問を具体化

詳細化（指示や質問を言い換えたり、明確化したりする）の従属部によって主部の指示や質問を補

足することで、生成ＡＩが回答を作成する際に厳密に何を実行するかを誘導してあげることができます。

プロンプトに、詳細化の従属部を含めない場合と、含める場合とで、生成ＡＩの回答がどう変わるのかを見てみましょう。

例として、ユーザーからのフィードバックを生成ＡＩに分析してもらう場合を想定してプロンプトを書くことにします。

まずは、従属部を含めない場合です。

プロンプト5-3　**フィードバックの分析（詳細化による補足なし）**

#指示：次のユーザーフィードバックを分析してください

フィードバック：9月7日にA店で〇〇の電動歯ブラシを購入しました。しかし、残念ながら購入してすぐにバッテリーがすぐになくなるようになり、現在は全く充電できなくなってしまいました。商品を新品と取り替えていただくことは可能でしょうか。

このプロンプトに対して、生成ＡＩは、フィードバックの要点を箇条書きにして回答を作成しました。

生成AIの回答

フィードバックを分析すると、以下のことがわかります。
- ユーザーは、9月7日にA店で〇〇の電動歯ブラシを購入した。
- 購入後すぐに、バッテリーがすぐになくなるようになった。
- 現在は全く充電できなくなってしまった。
- 商品を新品と取り替えてほしいと考えている。

このフィードバックから、ユーザーは商品に不具合があることを認識しており、新品と取り替えたいと思っていることがわかります。

箇条書きにまとめてくれるのもいいのですが、ただ要点をまとめるだけでは、分析に必要な情報と不要な情報の両方が含まれてしまう場合もありますし、さらに、どの箇条書きが、何についての情報なのかを確認する必要も出てきます。

そこで、ただ漠然と「分析してください」と伝えるだけでなく、詳細化の従属部を使って、指示を次のように具体化してみます。

プロンプト5-4　フィードバックの分析（詳細化による補足あり）

#指示：次のユーザーフィードバックを分析してください
具体的には、①どの商品に対するフィードバックなのか、②ユーザーが指摘する問題点は何か、もし、③ユーザーからの要望がある場合は、それも特定してください。

フィードバック：9月7日にA店で○○の電動歯ブラシを購入しました。しかし、残念ながら購入してすぐにバッテリーがすぐになくなるようになり、現在は全く充電できなくなってしまいました。商品を新品と取り替えていただくことは可能でしょうか。

生成ＡＩは、次のように回答しました。

生成AIの回答

①フィードバックは、〇〇の電動歯ブラシに対するものです。
②ユーザーが指摘する問題点は、バッテリーの寿命が短く、現在は全く充電できなくなってしまったことです。
③ユーザーからの要望は、商品を新品と取り替えてほしいということです。

プロンプトに詳細化の従属部を追加したことで、今度は①②③と指示した通り、フィードバックの対象、問題点、ユーザーからの要望を抽出することができました。

このように、詳細化の従属部で指示を補足することで、生成AIが厳密に何を実行して回答を作成するかを導いてあげることができます。

増補による補足で、指示や質問の条件を設定

増補（指示や質問を行う、手段、条件、原因、時間や場所などを提示する）の従属部によって主部の指示や質問を補足することで、生成ＡＩがどのように、もしくは、どんな条件を考慮して回答を作成するかを誘導できます。

多くの指示や質問には、回答を導くのに、複数の手段や考え方があります。

人に指示を出す場合も、やり方を変えたら、回答の正確さや質が変わってくることがあります。また、特定の条件で指示や質問を実行してほしい場合もあります。

生成ＡＩとの対話でも、同様のことが言える場合があります。

プロンプトに、増補の従属部を含めない場合と、含める場合とで、生成ＡＩの回答がどう変わるのかを見てみましょう。

ここでは、会社でミーティングの頻度についてアンケートを行った結果をまとめるのに、生成ＡＩに手伝ってもらうと仮定して、プロンプトを書くことにします。

まずは、従属部がないプロンプトになります。

プロンプト５－５ 要約（増補による補足なし）

＃質問：ミーティングの頻度に関する意見を集めました。要約してください。
＃入力値：
意見①：現状の週一回でちょうどいいです。
意見②：週一回だと、作業の進捗をアップデートするには頻繁すぎる。何か、作業上の問題などを議論する目的なら週一回でも良いと思う。
意見③：進捗報告だけなら、ミーティングの時間を短くしてほしい。メールやチャットで進捗報告をする形式にしても良いのでは。
意見④：2週間に一回だと、何か問題があった時に、みんなと共有できないので、今の週一回で良い。

このプロンプトに対して、生成ＡＩは次のように回答しました。

生成AIの回答

ミーティングの頻度に関する意見を要約すると、以下のようになります。

現状の週一回でちょうど良いという意見（意見①）
週一回だと頻繁すぎるという意見（意見②）
進捗報告だけならミーティングの時間を短くする、またはメールやチャットで報告する形式にするという意見（意見③）
2週間に一回だと問題が共有できないという意見（意見④）

意見①と意見④は、現状の週一回の頻度で良いという意見です。意見②は、週一回は頻繁すぎるという意見です。意見③は、ミーティングの目的によって頻度や内容を調整するべきという意見です。

生成AIは、それぞれの意見の要点をまとめた後、意見①〜④を、現状の頻度でよいという意見（①と④）と、何かしらの変更が必要だという立場の意見（②と③）とに分けてくれています。

しかし、全ての意見を要約すると長くなってしまうので、現在のミーティングの頻度に否定的な意見だけを集約して、現在の頻度ではよくないと指摘されている点は何かを把握することにしたとしましょう。

このようなとき、増補の従属部、特に、指示の条件を表す従属部を補足して、プロンプトを書きます。

プロンプトに「週一回の頻度でミーティングをすることに対して否定的な意見だけ」という従属部を、「要約してください」という主部の補足として加えました。

プロンプト５－６　要約（増補による補足あり）

＃**質問**：ミーティングの頻度に関する意見を集めました。週一回の頻度でミーティングをすることに対して否定的な意見だけ要約してください。

＃**入力値**：
意見①：現状の週一回でちょうどいいです。

意見②：週一回だと、作業の進捗をアップデートするには頻繁すぎる。何か、作業上の問題などを議論する目的なら週一回でも良いと思う。

意見③：進捗報告だけなら、ミーティングの時間を短くしてほしい。メールやチャットで進捗報告をする形式にしても良いのでは。

意見④：2週間に一回だと、何か問題があった時に、みんなと共有できないので、今の週一回で良い。

このプロンプトに、生成ＡＩは次のように回答しました。

生成AIの回答

週一回のミーティングに対しての否定的な意見は、以下の2つです。

- 週一回は、作業の進捗をアップデートするには頻繁すぎる
- 進捗報告だけなら、ミーティングの時間を短くしてほしい

プロンプトに従属部を追加したことで、生成ＡＩは、現在のミーティングの頻度で問題

ないという意見は含めず、否定的な立場の意見の内容をまとめてくれています。このように、増補の従属部で主部の指示や質問を補足することで、生成ＡＩがどのように回答を生成するかを誘導できます。

なお、プロンプトエンジニアリングの研究では、プロンプトに「Let's think step by step.」（ステップバイステップで考えよう）「Take a deep breath and work on this problem step by step.」（深呼吸して、この問題を段階的に解決しましょう）や「This is very important to my career.」（これは私のキャリアにとって非常に重要です）などといった表現を加えると、生成ＡＩの正解率が向上したという結果も出ています。

このようなプロンプトエンジニアリングのテクニックも、どのように指示や質問を実行するかを補足するものなので、増補の従属部の一種と考えることができます。

拡張による補足で、複数の手順がある複雑な作業もＯＫ

拡張（指示や質問に対して、何か追加したり、代替案を提示したりする）の従属部によって主部の指示や質問を補足することで、生成ＡＩが回答を作成する際に当該の指示や質問をどのような手順で実行するかを誘導できます。

拡張の従属部は、複数の指示の実行や質問への回答を必要とする作業などに活用できます。例として、次のような注文メールに対応するワークフローを想定したプロンプトを書くことにします。

作業①：注文の確認。メールから注文の品を特定する。
作業②：在庫の確認。在庫リストから、注文の品の在庫の有無を確認。
作業③：返信メールの作成。在庫があれば、発送する旨を伝える。なければ、在庫が入り次第連絡するとメールする。

一連の作業を、拡張の従属部を使ってプロンプトにしてみましょう。
まず最初の指示を出し、「次に」などという表現の後に、２つ目の指示を提示していきます。これらの指示の後に、注文メールと在庫リストの情報を入力値として与えています。

プロンプト5-7 顧客メール、在庫確認から、返信のワークフロー（拡張による補足）

#指示：
次の3つの作業を行なってください。まず、注文メールから注文の品が何か特定してください。次に、在庫リストを確認して、注文の品の在庫の有無を確認してください。最後に、もしも注文の品の在庫がある場合は、本日中に注文の品を発送するという旨のメールの下書きを書いてください。もしも注文の品の在庫が無い場合は、現在在庫がないので、在庫が入荷しだい改めて連絡すると伝える旨のメールの下書きを書いてください。

注文メール：お世話になっております。A社の田中です。先日は、急なお願いにも関わらず、新商品のランタンをお送りいただきありがとうございました。度々お手数おかけして申し訳ありませんが、貴社のヘッドライトが売り切れそうなので、こちらも追加で注文したいのですが、お願いできますでしょうか。

在庫リスト：テント：在庫有り、グランドシート：在庫有り、テントペグ：在庫有り、ハンマー：在庫有り、ペグ抜き：在庫有り、タープ：在庫有り、寝袋：在庫有り、エアマットレス：在庫有り、マッチまたライター：在庫有り、ランタン：在庫有り、ヘッドライト：在庫無し、懐中電灯：在庫有り、コンパス：在庫有り、救急セット：在庫有り、ホイッスル：在庫無し

このプロンプトに対して、生成ＡＩは次のように回答しました。

生成ＡＩの回答

件名：ヘッドライトのご注文について

株式会社Ａ　田中様

いつもお世話になっております。
株式会社Ｂでございます。
先日のご注文、誠にありがとうございました。
ご注文いただきましたヘッドライトですが、現在在庫がございません。

次回入荷は来週末を予定しております。

入荷次第、改めてご連絡させていただきますので、今しばらくお待ちください。

ご迷惑をおかけして申し訳ございません。

今後ともよろしくお願い申し上げます。

株式会社Ｂ

在庫リストから、注文の品は「ヘッドライト」と特定できました。

また、在庫リストから、ヘッドライトの在庫は「在庫無し」と確認できました。

したがって、注文の品であるヘッドライトの在庫はないため、

「現在在庫がございません。次回入荷は来週末を予定しております。入荷次第、改めてご連絡させていただきますので、今しばらくお待ちください。」

という旨のメールの下書きを書きました。

件名は「ヘッドライトのご注文について」とし、
本文は、ご注文の感謝の言葉から始め、
在庫の状況と、入荷予定日と、入荷次第のご連絡をお知らせするという内容にしました。

また、ご迷惑をおかけして申し訳ないというお詫びの言葉も添えました。

このメールを送ることで、お客様に安心していただけると考えられます。

生成ＡＩは、プロンプトで指示されたように、まず、作業①を実行して、注文メールから注文の品が「ヘッドライト」であると特定しました。

続いて、生成ＡＩは、在庫リストを見て、「ヘッドライト：在庫無し」となっているので、注文の品は在庫がないことを確認しました。

最後に、生成ＡＩは作業③を行っています。３つ目の作業には、増補の従属部（もしも〜）があり、在庫がある場合とない場合とで、異なる趣旨のメールを書く必要があります。

生成ＡＩは作業②で注文の品は在庫がないことを確認しているので、在庫が入荷され次第連絡するという内容のメールの下書きを作成しています。「次回入荷は来週末を予定しております」と、メールの内容に追加してくれているので、こちらは、実際の入荷予定に合わせて修正する必要があるでしょう。

下書きを確認・修正してから、顧客に送信します。

このように、拡張の従属部を使うことで、生成ＡＩが指示や質問を実行する過程を誘導して、いくつかの手順を含むような複雑な作業でも、回答に導いてあげることができます。

本節では、言語学の論理－意味関係（詳細化、増補、拡張）の知見を使って、**指示／質問の説明**を工夫することで、生成ＡＩが回答を生成するプロセスを誘導する方法について見てきました。

詳細化の従属部で主部を補足することで、生成ＡＩが回答を作成する際に厳密に何を実行するかをコントロールすることができます。

増補の従属部で主部を補足することで、生成ＡＩがどのように、もしくは、どんな条件を考慮して回答を作成するかを調整することができます。

拡張の従属部で主部を補足することで、生成ＡＩが回答を作成する際に、指示や質問をどのような手順で実行するかを誘導することができます。

言語学的知見を使って、プロンプトにおける指示や質問を補足し、回答を生成するプロセスを誘導して、自分の目的に合致した回答を生成ＡＩが作成できるようにしましょう。

第6章

様式や具体例を伝えて、生成AIの底力をさらに引き出す！

生成AIの能力をさらに引き出そう

▼ 生成AIとさらに上手に話すためのテクニックとは？

本章では、第3章で概説したプロンプトの構成要素のうち、様式の選択、例の提示について詳しく見ていきます。

また、本書でこれまで紹介してきた生成AIとの対話のほとんどは、基本となる一つのプロンプトと一つの生成AIの回答からなる対話でした。

本章では、少し発展させて、複数のやりとりからなる対話についても見ていきます。

特に、次の3つの点について概説します。

① 様式（文体、会話や文章の形式、媒体、ジャンルなど）の選択を生成AIに伝えることで、生成AIの表現・構成力を引き出すことができる

②例の提示をすることで、生成AIに、状況設定や指示／質問の説明の内容をどう回答に反映したらいいかを教えることができる。これによって、状況や指示／質問をより反映した回答結果を得ることができる

③生成AIとの対話を、一度のやりとりだけでなく、さらに続けることで、前の対話を踏まえて、生成AIに回答を修正させたり、前提知識を引き出したうえで、回答を生成したりすることができる

まずは、言葉の様式と言ったときに、どのような種類や選択肢があるのかについて、言語学的立場から見ていきます。

その後、生成AIとの対話において、様式の選択をプロンプトに含めることが、生成AIの回答にどのような影響を与えるかを説明します。

様式の選択で生成AIの表現力・構成力を引き出す

▼言葉の様式の選択肢

言語学ではさまざまな観点から言葉の様式について捉えますが、大まかには、次の4つが、言葉の様式の種類として挙げられます。

①文体・スタイル：「話し言葉らしい」「ですます調」など
②形式：「箇条書き」「表」など
③媒体：「新聞」「ブログ」「書籍」など
④ジャンル：「物語」「報告書」「論説文」など

それぞれの観点から、言葉の様式にどのような選択肢があるのかを見ていきましょう。

文体・スタイルの選択肢

文体・スタイルの選択肢としては、例えば、次のようなものが挙げられます。

まず、話し言葉らしいか、書き言葉らしいかという選択があります。

人と人との対話では、コミュニケーションをするのに音声を使うか、文字を使うかとは別に、話し言葉らしく書く場合もあれば、書き言葉らしく話す場合もあります。

例えば、漫画のセリフなどは、文字によって表された書き言葉ですが、登場人物の会話を描くシーンでは、話し言葉らしい表現を使ってセリフが書かれています。

次に、「フォーマル」か「カジュアル」（いろいろなレベルのフォーマルさやカジュアルさがありますが）か、「丁寧体」か「普通体」か、「ですます調」か「である調」かといった、スタイルの選択があります。

スタイルの選択によって、文末表現だったり、敬語の使用の有無だったり、会話や文章のトーンが変わってきます。

▼形式の選択肢

言葉の形式には、表、箇条書き、リスト、番号付きリスト、タイムライン（年表やスケジュール）などさまざまあります。

このような形式は、複雑な内容を理解しやすいように整理したり、参照しやすくしたりするために利用されます。

表は、列と行とで情報を整理します。一般的に、行には項目とその値を入れて、列には種類や属性などを表すことで情報をまとめます。

箇条書き、リスト、番号付きリストは、文章の要点を整理したり、複数のポイントがある情報を、わかりやすく読みやすい方法で提示したりします。順序関係や、いくつの要点があるのかが重要な場合に、番号付きリストを使ったりします。

年表やスケジュールなどのタイムラインは、時間の流れに沿って、出来事の順番や関係を視覚的に表示します。

媒体の選択肢

さらに、新聞、雑誌、チャット、電話、書籍、講演など、どの媒体が会話や文章で使われるかも、言葉の選択に影響します。

例えば、何かを主張する文章を書くときに、新聞に載せることを前提とした場合と、チャットで伝えるのを前提とした場合とでは、書き方が大きく変わってきます。

媒体の種類としては、新聞、雑誌、書籍などの「印刷媒体」、テレビやラジオなどの「放送媒体」、ウェブページやＳＮＳなどの「デジタルメディア」、電車の広告などの「アウトドアメディア」などさまざまあります。

なお、媒体の選択によって、使用される語彙や会話・文章の構成も変わってきます。

例えば、新聞では、重要な情報を記事の冒頭に持ってきて、具体的情報などは後に記載される傾向があります。また、多くの場合、記事に文字数の制限があるため、簡潔に情報を伝えるために、冗長な書き方は避けられる傾向にあります。

ジャンルの選択肢

ジャンルの選択肢には、物語、報告文、説明文、論説文、事務文書などがあります。それぞれのジャンルには、特有の言葉の選択の仕方と構造があると考えられています。

例えば、いつもそうとは限りませんが、日本語の論説文（何かを主張するための文章）では、読み手が文章を読み終えたときに、書き手の主張を共有してもらえるように、最初から主張を提示するのでなく、論拠となる出来事を積み上げて、最終的に読み手が書き手の主張にたどり着くように、工夫してテキストを構成するような場合もあります。

様式の選択で引き出す表現力

では、プロンプトに様式の選択を含めることで、生成ＡＩの表現力をどう引き出せるのかを見てみましょう。

ここでは、形式の選択に関する記述をプロンプトに含めてみましょう。表などは見た目でもわかりやすいので、形式の選択による生成ＡＩの回答の変化が確認しやすい例です。表形式を使って、カレーの隠し味として使用できる食材にどんなものがあるか、その食材を加えると、カレーの味がどうなるのかを、回答してもらいます。

プロンプト６－１　カレーの隠し味のアイディア出し（表形式）

#**質問**：カレーに隠し味として入れる食材にはどのようなものがありますか。
#**様式の選択**：表形式で回答してください。列には、食材、カレーの味への影響を含めてください。

すると、生成ＡＩは指定された「食材」と「カレーの味への影響」という列を持つ表を使って、回答してくれます。

▶ 形式の選択：表形式を選択した場合

生成AIの回答

食材	カレーの味への影響
チョコレート	コクと甘み
インスタントコーヒー	深みとコク
赤ワイン	コクと風味
中濃ソース	酸味と旨み
はちみつ	甘みとまろやかさ
焼肉のたれ	旨みとコク
ヨーグルト	まろやかさと酸味
ナンプラー	コクと旨み
レモン汁	酸味とさっぱり感
酢	酸味とさっぱり感
フルーツ	甘みと風味
スパイス	風味と辛味

次に、同じ質問を、物語ジャンルの様式を使って、生成ＡＩに回答してもらいましょう。

プロンプト6－2　カレーの隠し味のアイディア出し（物語ジャンル）

#質問：
カレーに隠し味として入れる食材にはどのようなものがありますか。
#様式の選択：
物語ジャンルで、回答してください。

同じ質問ですが、プロンプトの様式の選択を変えることで、生成ＡＩは全く違った表現方法を使って回答しています。

生成ＡＩの回答

あるところに、カレーが大好きな料理人のおじいちゃんがいました。おじいちゃんは、カレーをより美味しくするために、さまざまな食材を隠し味として使っていました。

ある日、おじいちゃんは、カレーに「すりおろしりんご」を加えてみました。すると、カレーにほんのりと甘みと酸味が加わり、まろやかな味わいになりました。

またある日、おじいちゃんは、カレーに「ヨーグルト」を加えてみました。すると、カレーにコクと酸味が加わり、さっぱりとした味わいになりました。

さらにある日、おじいちゃんは、カレーに「チョコレート」を加えてみました。すると、カレーに深みと甘みが加わり、大人な味わいになりました。

おじいちゃんは、さまざまな食材を試しながら、カレーの隠し味のレシピをどんどん増やしていきました。そして、おじいちゃんのカレーは、評判がどんどん良くなっていきました。

ある日、おじいちゃんは、あるテレビ番組に出演することになり、カレー作りを披露することになりました。おじいちゃんは、いつものように、さまざまな隠し味を使ったカレーを作りました。

番組の司会者は、おじいちゃんのカレーを食べて、「これは今まで食べたカレーの中で一番美味しい！」と絶賛しました。

おじいちゃんは、カレーの隠し味は、魔法のようなものだと言いました。隠し味を加えることで、カレーの味わいは、驚くほど変わるのです。

おじいちゃんのカレーのレシピは、今でも多くの人に愛されています。カレーを作るときは、ぜひおじいちゃんのように、さまざまな隠し味を試してみてください。きっと、あなただけの美味しいカレーを作ることができるでしょう。

このように、様式の選択をプロンプトに含めることで、生成ＡＩの表現力を引き出してあげることができます。

様式の選択を変えることで、さまざまな表現方法が簡単に可能となるので、目的や読み手に合わせて、いろいろな回答を作成してみてください。

例ってすごい：生成ＡＩとの対話における例の力

例とは何？

言語学では、言葉の選択肢（例えば、発話機能には、陳述、質問、オファー、指示の４つの選択肢がある）が、発話や文として表現されたとき、その表現されたもののことを**例**、もしくは**インスタンス**（例えば、選択肢として質問が選ばれ「生成ＡＩとはどんなものですか」と発話する）と言います。

生成ＡＩに例で回答の仕方を教えよう

選択肢を例で表すという考え方は、生成ＡＩの知識やスキルを引き出すうえで、非常に強力なテクニックになります。

▶ 選択肢とインスタンスの関係

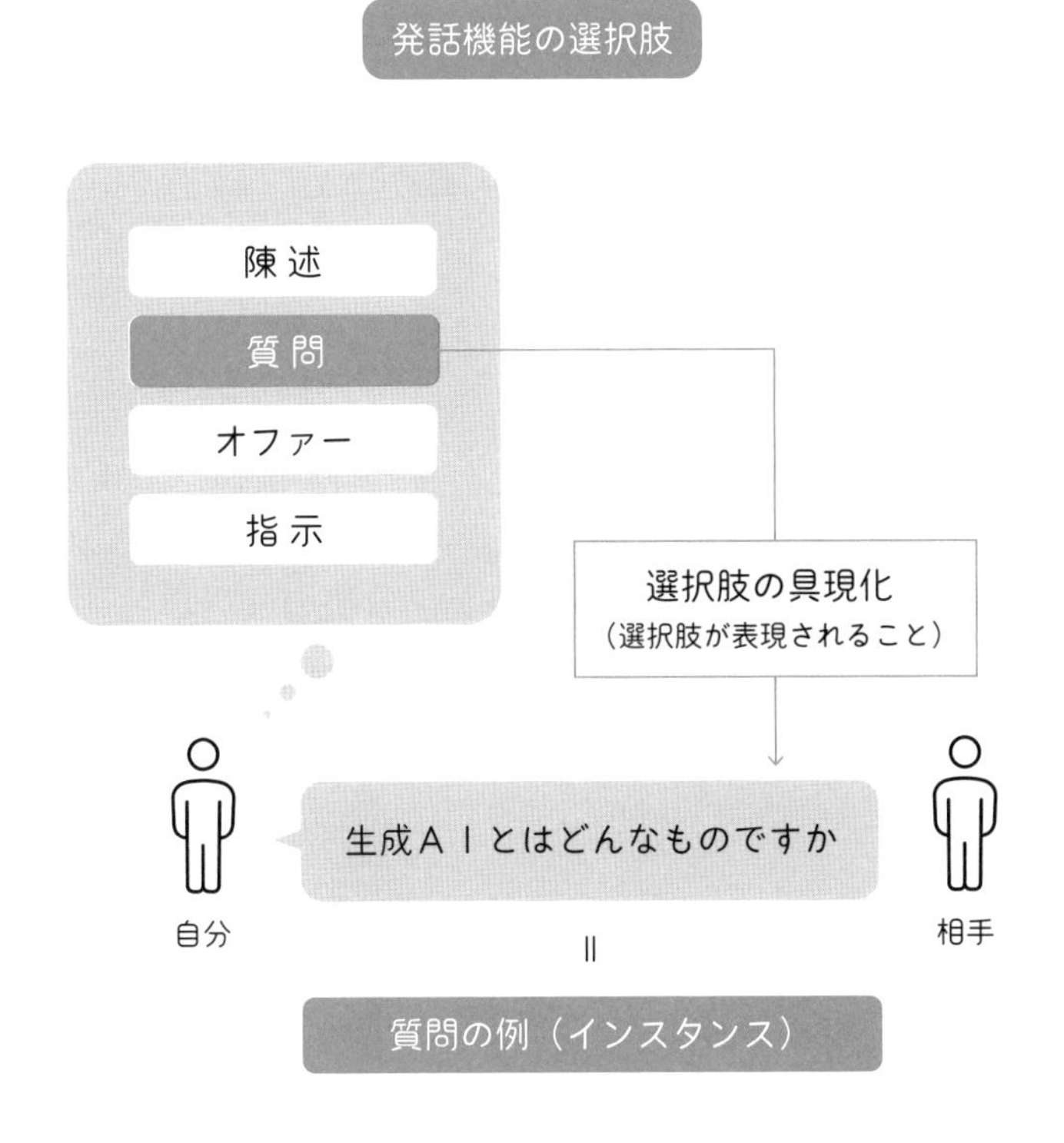

生成ＡＩとの対話では、ここで言う「選択肢」は、プロンプトに記載した**状況設定**や**指示／質問の説明**のことです。

状況や**指示**の内容を実際に表したものが「例」になります。

プロンプトに記載した**状況設定**や**指示／質問の説明**だけでは伝わらないことがある場合でも、例を生成ＡＩに提示してあげることで、**状況設定**や**指示／質問の説明**の意図を、生成ＡＩと共有することができます。

これによって、状況や指示をより反映した回答結果を得ることができます。

人とのコミュニケーションでも、指示を説明したけれども伝わらなかったが、一度実際にやってみたらわかってもらえた、というような経験があるのではないでしょうか。これと類似した方法が、生成ＡＩとの対話でも活用できます。

具体的に、例をプロンプトに含めない場合と、含める場合とで、生成ＡＩの回答がどのように変わってくるのかを見てみましょう。

ここでは、脚本家が、自然の不思議について説明するのが好きなゆるキャラのセリフを考えるのを、生成ＡＩに手伝ってもらうという設定で考えます。
自然現象について伝える文を、ゆるキャラっぽい発話に書き換える手伝いを生成ＡＩにしてもらいましょう。

まずは、プロンプトに例を含めない場合です。

プロンプト6-3　セリフのスタイル調整（例なし）

#指示：もふもふワンコゆるキャラの発話っぽく次のセリフを書き換えて。
#セリフ（入力値）：鳴き砂とは、砂の上を歩くとキュッと鳴る砂のことです。

生成AIの回答

書き換え後のセリフ：わん、鳴き砂って知ってる？砂の上を歩くとキュッキュッって鳴るんだよ。不思議でしょ？

生成ＡＩは、犬のキャラということで「わん」とセリフをスタートしています。
しかし、「もふもふワンコゆるキャラの発話っぽく」という指示だけでは、それがどういった話し方なのかがわかりません。

そこで例をプロンプトに含めて、「もふもふワンコゆるキャラの発話っぽく」という概念を具現化すると、どのような話し方になるのか、いくつか例を与えます。
「く〜ん」とつけるのがこのキャラの話し方の特徴と想定します。

プロンプト6-4　セリフのスタイル調整（例あり）

指示：もふもふワンコゆるキャラの発話っぽく次のセリフを書き換えて。

例：

セリフ：流れ星の正体は、彗星や小惑星などの天体から放出されたチリの粒です。
書き換え：流れ星はく〜ん、彗星や小惑星なんかから出たく〜ん、チリなんだ
セリフ：氷（こおり）は、水が固体の状態のことを指します

書き換え：氷（こおり）はく～ん、水がく～ん、固体の状態のことをく～ん言うんだく～ん

#セリフ（入力値）：鳴き砂とは、砂の上を歩くとキュッと鳴る砂のことです。

書き換え（出力値）：

プロンプトに例を加えたことで、生成ＡＩに「もふもふワンコゆるキャラの発話っぽく」とはどのようなものかを伝えることができました。今度は文末に「く～ん」を使って、原文を書き換えてくれています。

生成ＡＩの回答

もふもふワンコゆるキャラの発話っぽい書き換え：鳴き砂ってく～ん、砂の上を歩くとキュッと鳴く砂なんだく～ん。不思議だねく～ん。

このように、例は、生成ＡＩに伝えた状況設定や指示を、どのように回答へ反映させればいいのかを生成ＡＩに伝える有効な手段になります。

ちなみにプロンプトエンジニアリングでは、例を含めないプロンプトのことをゼロショット、例を含めて書かれたもののことをフューショット（few-shot）と言います。

なお、例として示すことができるのは、回答の参考例だけとは限りません。

例えば、数学の問題などを解く過程を例としてプロンプトに含めることで、生成ＡＩの正解率が上がるという報告もあります（「思考の連鎖」と呼ばれるテクニックです）。

生成ＡＩに状況設定や指示／質問の説明がうまく伝わらないときは、例をプロンプトに含めることで、それらをどう回答に反映させたらいいかを教えて、生成ＡＩの能力を引き出してみてください。

なお、一般的に、同じような例を複数入れると、生成ＡＩはそれにできるだけ従おうとして、例と同じようなものを生成する傾向が強くなります。例を一つだけ見せても生成ＡＩの回答が変わらない場合は、複数の例を提示してみるのもよいでしょう。

また、生成ＡＩにさまざまなバリエーションを作成させたい場合は、似たような例を複数含めるのでなく、特徴が異なる例をいくつか提示してあげたほうが、より生成ＡＩの柔軟性、適応性を保てる傾向にあるようです。

なお、例を提示するときには、設定した状況、指示や質問の意図と、提示する例とが合致しているかを確認するようにしましょう。

さらに発展！：対話を続けて引き出す生成ＡＩの知識とスキル

▼マルチターン（複数回のやりとり）での対話

本書ではここまで、生成ＡＩとの対話の基本である、一つのプロンプトと一つの生成ＡＩの回答からなる対話を主に扱ってきました。

ここでは発展として、複数のプロンプトと回答からなる対話についても紹介しておきたいと思います。

なお、これまで見てきた言語学的知見は、複数のやりとり（マルチターン）からなる対話でも活用できるので、これらの知見を使って、生成ＡＩとの会話を続け、対話をより広く深く発展させてみてください。

▼ マルチターンでの対話の方向性

生成AIとのマルチターンでの対話は、大きく分けて、次の3つの方向性があると考えられます。

① **対話の発展**：生成AIの回答を受けて、その回答を詳細化（従属部が主部の指示や質問を言い換えたり、明確化したりする関係）、増補（従属部が主部に表された指示や質問を行う、手段、条件、原因、時間や場所などを提示する関係）、拡張（従属部が主部の指示や質問に対して、何か追加したり、代替案を提示したりする関係）する

② **対話のやり直し**：プロンプトを書き直してもう一度会話し直す

③ **対話の前提準備**：会話の前提となる知識をまず生成AIから引き出して、目的とする対話の準備をしてから、本来の指示や質問をする

では、マルチターンで会話することで、生成AIとの対話をどう広げ、深めることができるのかを見ていきましょう。

▼対話を発展させる

マルチターンでの対話で最も基本的なものは、生成ＡＩに一度指示や質問をして、返ってきた回答が自分の意図と何かしらズレていたり、足りない部分があったりする場合に、追加のプロンプトを送って、回答をより詳細化、増補、もしくは、拡張することです。

第５章では、詳細化、増補、拡張の３つの論理－意味関係を踏まえて、指示や質問を一つのプロンプトの中で補足しましたが、同じ考え方が、対話を拡張する場合でも活用できます。

具体例として、冷蔵庫にあるもので、生成ＡＩに夕飯のメニューを考えてもらったが、追加で補足したい内容があるという場面を想定して、マルチターンで対話してみましょう。

まずは、生成ＡＩに夕飯のメニューを考えてもらいます。

プロンプト６－５　夕飯のメニューアイディア出し（ターン①）

＃**指示**：夕飯のメニューを考えて。冷蔵庫には、セロリ、トマト、舞茸があります。

生成AIの回答

かしこまりました。夕飯のメニューを考えさせていただきます。

冷蔵庫にあるセロリ、トマト、舞茸を主役にしたメニューとして、以下の2つを考えました。

1．セロリとトマトのトマトソースパスタ

材料（2人分）

- パスタ 200g
- セロリ 1本
- トマト 2個
- 舞茸 1／2パック
- オリーブオイル 大さじ2
- にんにく 1片
- 塩 小さじ1／2
- こしょう 少々
- 赤ワイン 大さじ2
- トマト缶 1缶（280g）

作り方

1 パスタを茹でる。

2 セロリは茎は薄切り、葉はざく切りにする。トマトは角切りにする。舞茸は手でほぐす。

3 フライパンにオリーブオイルとにんにくを入れて弱火で炒める。香りが立ったらセロリを加えて炒める。

4 セロリがしんなりしたらトマトと舞茸を加えて炒める。

5 赤ワインを加えてアルコールを飛ばす。

6 トマト缶を加えて煮詰める。

7 塩こしょうで味を調える。

8 茹で上がったパスタにトマトソースを絡めて完成。

2. セロリとトマトのミネストローネ

…

冷蔵庫にあるセロリ、トマト、舞茸を使って、美味しそうなメニューを考えてくれましたが、実はパスタは昨日食べていたとします。

生成AIに今日はもう少し和食っぽいメニューがいいと伝えてみましょう。

先ほどの会話に、次のようなプロンプトを続けて送ります。

プロンプト６－６ 夕飯のメニューアイディア出し（ターン②：増補）

和食のメニューも考えられますか

すると生成ＡＩは、先ほどの対話を踏まえたうえで、追加の条件を考慮し、対話を続けます。

生成ＡＩの回答

かしこまりました。和食のメニューも考えられます。

1．セロリとトマトの天ぷら

材料（2人分）

- セロリ 1本
- トマト 2個
- 舞茸 1／2パック

・天ぷら衣 適量
・サラダ油 適量

作り方

1. セロリは茎は薄切り、葉はざく切りにする。トマトはくし切りにする。舞茸は手でほぐす。
2. 天ぷら衣を準備する。
3. セロリ、トマト、舞茸を天ぷら衣につけて揚げる。
4. 器に盛り付けて完成。

セロリ、トマト、舞茸のそれぞれの食感を楽しめる天ぷらです。揚げたて熱々がおすすめです。

セロリやトマトを天ぷらにしてしまうとはちょっとびっくりするような提案ですが、実際のレシピとしてあるようです。このように、一度のやりとりでは、自分の目的と合致するような回答を得られなかったときに、前の会話を踏まえて、生成ＡＩに再度回答を編集させたり、追加で何か指示を出したり、新たな条件を提示したりすることで、対話を発展させていくことができます。

▼対話をやり直す

人同士の対話の場合は、対話をもう一度やり直すということはできませんが、生成ＡＩとの対話の場合、プロンプトを編集して、再度対話をやり直すということが可能です。自分の目的と合致した回答を生成ＡＩが返してくれないときに、プロンプトを練り直して、再度対話し直したりします。

プロンプトを書き直す際にも、今まで見てきた言語学の知見が役立ちます。**状況設定**、**指示／質問の説明**、**様式の選択**、**例の提示**などの選択肢を変えたり、追加したりすることで、自分の目的に合致する生成ＡＩの知識やスキルを引き出しましょう。

例えば、まずは次のようなプロンプトを書いたとします。

プロンプト６－７　口コミからのクレーム抽出（初回）

#**指示**：次の口コミから、宿泊者のクレームを抜き出してください

#口コミ（入力値）：

口コミ①：週末をゆっくり過ごすためにこのホテルを選びました。客室露天風呂は素晴らしく、プライベートな時間を楽しめました。ただ、朝食にはかなり失望しました。メニューが限られていて、食材も新鮮でなかったように感じました。

口コミ②：子供たちも大喜びで、客室露天風呂はとても良かったです。特に子供たちは外で風呂に入るのが初めてだったので、大興奮でした。スタッフもフレンドリーで、子供たちにも優しかったです。

口コミ③：私たちは愛犬と一緒に滞在しました。ペットフレンドリーなホテルで、客室露天風呂も清潔でした。愛犬も楽しんでいましたし、スタッフがペットにも親切だったのが嬉しかったです。

口コミ④：私たちは何度かこちらのホテルを訪れていますが、今回は少し失望しました。客室露天風呂は相変わらず素晴らしかったのですが、朝食が今回は期待外れでした。以前は豪華だったのに、今回は品数が少なく、味もいまいちでした。

口コミ⑤：客室露天風呂は最高でした。しかし、朝食はがっかり。メニューが少なく、特にヘルシーなオプションがなかったのが残念でしたすると生成ＡＩは、次のように回答しました。

生成AIの回答

以下の口コミから、宿泊者のクレームを抜き出しました。

口コミ①：朝食のメニューが限られていて、食材も新鮮でなかったように感じました。
口コミ④：朝食の品数が少なく、味もいまいちでした。
口コミ⑤：朝食のメニューが少なく、特にヘルシーなオプションがなかったのが残念でした。

これらのクレームは、いずれも朝食に関するものです。口コミ①は、メニューが限られていて、食材が新鮮でなかったという不満です。口コミ④は、品数が少なく、味もいまいちだったという不満です。口コミ⑤は、メニューが少なく、ヘルシーなオプションがなかったという不満です。

これらのクレームから、ホテル側が改善すべき点は、朝食のメニューの充実と、食材の鮮度や味の向上であると考えられます。

なお、口コミ②、⑦は、客室露天風呂やスタッフの対応に関する良い評価です。口コミ①の宿泊者は、客室露天風呂は良かったものの、朝食に失望したようです。口コミ④、⑤の宿泊者は、客室露天風呂は以前から気に入っていたものの、今回は朝食が期待外れだったようです。

生成ＡＩが、まず口コミに含まれるクレームの要点をまとめてくれています。それに続けて、単にクレームをリストするだけでなく、「これらのクレームから、ホテル側が改善すべき点は、朝食」であるとして、口コミに出てくる主なクレームを集約してくれています。

生成ＡＩとの対話で、口コミ①④⑤に朝食に対するクレームが含まれていることがわかったので、これら3つの口コミに着目して、朝食のクレームへの対応策を考えてもらうために、プロンプトを修正してみます。

プロンプト６-８　口コミからのクレーム抽出（修正版）

＃指示：次の口コミには朝食に対するクレームが含まれています。口コミを参考に対応策を提案してください。

＃口コミ（入力値）：

口コミ①：週末をゆっくり過ごすためにこのホテルを選びました。客室露天風呂は素晴らしく、プライベートな時間を楽しめました。ただ、朝食にはかなり失望しました。メニューが限られていて、食材も新鮮でなかったように感じました。

口コミ④：私たちは何度かこちらのホテルを訪れていますが、今回は少し失望しました。客室露天風呂は相変わらず素晴らしかったのですが、朝食が今回は期待外れでした。以前は豪華だったのに、今回は品数が少なく、味もいまいちでした。

口コミ⑤：客室露天風呂は最高でした。しかし、朝食はがっかり。メニューが少なく、特にヘルシーなオプションがなかったのが残念でした。

すると生成ＡＩは、次のように回答しました。

生成AIの回答

口コミ①、④、⑤から、ホテルの朝食に対する主なクレームは以下の3つです。

・メニューが限られている
・食材が新鮮でない
・品数が少なく、味もいまいち

これらのクレームを踏まえて、以下の対応策を提案します。

1．メニューの拡充

口コミ①、④、⑤のいずれも、メニューが限られていることに不満を感じているようです。そのため、メニューを拡充し、より多くのお客様のニーズに対応できるようにすることが重要です。具体的には、和食、洋食、中華など、幅広いメニューを用意するとともに、季節の食材を使ったメニューを提供するなどの工夫が必要です。

2．食材の鮮度向上

口コミ①は、食材が新鮮でないと感じているようです。そのため、食材の鮮度を向上させることも重要です。具体的には、仕入れ先の見直しや、食材の管理方法の改善などの取り組みが必要です。

３．品数の増加と味の改善

口コミ④、⑤は、品数が少なく、味もいまいちと感じているようです。そのため、品数を増やし、味を改善することも重要です。具体的には、朝食ビュッフェの提供や、シェフによるライブキッチンなどの取り組みが必要です。

最初の会話で、朝食へのクレームが多いことがわかっていたので、プロンプト６－８では朝食に焦点を当て、生成ＡＩへの指示を出しました。

これによって、口コミから、朝食に対してどのような批判があり、どのような対応策が可能かを、生成ＡＩが提案するように、会話をやり直すことができました。

一度で完璧なプロンプトを書くことが難しい場合もあれば、生成ＡＩと対話しているうちに、新しいアイディアが浮かんでくるようなときもあります。

人同士の対話と違って、生成ＡＩとの対話ではプロンプトの修正ができるので、対話をやり直すことも、生成ＡＩの知識やスキルを引き出すのに有効なテクニックの一つになります。

▼ 対話の前提準備

人同士の対話で、いきなり目的とすることを相手に伝えるのではなく、まず、それに関連した事柄から話を始めて、条件や目標を相手と共有できたと思ったところで、本当の目的を相手に伝えるというようなテクニックを使う場合があります。

生成ＡＩとの対話でも、目的の前提となる知識や内容をまず生成ＡＩから引き出したうえで、指示や質問を伝えたほうが、より生成ＡＩの能力を引き出すことができる（「ステップバックプロンプティング」と呼ばれる方法）という研究報告があります。

具体例を見てみましょう。

ここでは、「文法とは何か」を生成ＡＩに定義してもらいます。

まずは、前提となる知識を引き出さないで、いきなり生成ＡＩに質問する場合のプロンプトです。

プロンプト６－９

文法とは何か（前提準備なし）

＃質問：文法とは何か一文で説明してください。

これに対して、生成ＡＩは次のように回答します。

生成ＡＩの回答

文法とは、言語を構成する単語や句、節などの組み合わせの規則です。

一文で説明すると、以下のようになります。

言語を正しく組み立てるためのルール

生成ＡＩは、文法とは何かについて、構造主義的立場から説明してくれています。
これも一つの立場ですが、言語学には、さまざまな立場や理論があるので、他の立場では文法をどう定義するのかも、生成ＡＩに説明してもらいましょう。

プロンプトで、**状況設定**や**指示／質問の説明**を工夫して、他の立場では文法をどう定義するのかを、説明してもらうこともできますが、ここでは、生成ＡＩから前提となる知識を引き出して、そのうえで、文法を定義してもらうというテクニックを使ってみます。

例として、次は、第2章で説明したＳＦＬの立場から、生成ＡＩに文法を定義させてみましょう。そこでまず、次のようなプロンプトで、前提知識を引き出します。

プロンプト 6-10　文法とは何か（前提準備あり：ターン①）

#質問：SFLとはどのような言語学ですか

すると生成ＡＩは、次のように回答しました。ＳＦＬがどんな考え方をするのかを説明しています。

生成ＡＩの回答

ＳＦＬ（体系的機能言語学）とは、言語を社会的象徴システムとして考察する機能言語学の一派です。１９６０年代にオーストラリアの言語学者マイケル・ハリデーによって提唱されました。ＳＦＬは、言語はコミュニケーションの手段であり、その目的は、話し手と聞き手の間に意味を伝えることであると捉えます。そのため、ＳＦＬでは、言語の意味は、話し手と聞き手の共有する知識や経験に基づいて構築されると考えています。

ＳＦＬの特徴は、以下の３つが挙げられます。

・言語を機能的システムとして捉える

ＳＦＬでは、言語は、意味を伝えるための機能的なシステムであると捉えます。そのため、言語の構造や機能を、その機能との関係から分析します。

・言語を社会的文脈に位置づけて捉える

ＳＦＬでは、言語は、社会的文脈の中で使用されるものであると捉えます。そのため、言語の分析には、社会的文脈を考慮することが重要であると考えています。

・言語の多様性を重視する

ＳＦＬでは、言語の多様性を重視します。そのため、言語の分析には、言語の使用状況や地域性などの多様性を考慮することが重要であると考えています。

ＳＦＬは、言語の意味や機能、社会的文脈など、言語学のさまざまな側面を包括的に研究するアプローチです。そのため、言語学だけでなく、教育学、心理学、社会学など、さまざまな分野で応用されています。

生成ＡＩから、ＳＦＬとはどんなものかという知識を引き出したところで、続いて本来の目的である、文法の定義について説明してもらいます。前の会話を踏まえて回答するように、「それを踏まえて」という表現を質問の前に加えてあります。

プロンプト６－11　文法とは何か（前提準備あり：ターン②）

#質問：それを踏まえて、文法とは何か一文で説明してください。

すると、「プロンプト６－９（前提準備なし）でした質問と同じ質問ですが、その回答は異なり、ＳＦＬの考え方を踏まえて、文法を定義してくれます。

生成ＡＩの回答

ＳＦＬの観点から文法とは、意味を伝えるための言語の機能的なシステムである。

このように説明すると、文法は、単なるルールや規範ではなく、意味を伝えるために言語がどのように機能しているかを示すものであるということがわかります。

前提準備がない場合は、構造主義的な立場から文法を「言語を正しく組み立てるためのルール」と定義していましたが、ＳＦＬについて質問し、前提準備をした場合、「文法とは、意味を伝えるための言語の機能的なシステム」と、機能主義的な立場で定義しています。

このように、前提となる知識を生成ＡＩに回答させたうえで、目的とする指示や質問を送り、対話を続けることで、生成ＡＩの能力やスキルをより引き出すことができる場合があります。

本章では、**様式の選択**、**例の提示**、マルチターンでの対話について見てきました。**様式の選択**をプロンプトに含めることで、生成ＡＩの表現力を引き出せることを説明しました。

また、**例の提示**をすることで、生成ＡＩに、**状況設定**や**指示**／**質問の説明**を踏まえて、どのように回答を作成すればいいかを伝えられることも概説しました。

さらに、一度のやりとりだけでなく、生成ＡＩと対話を続けることで、対話を発展させたり、対話をやり直したり、前提知識を踏まえたうえで回答を作成させたりできることを説明しました。

次章では、今まで紹介してきた対話スキルを活用して、生成ＡＩとの対話をさらに飛躍させてみましょう。

第7章

生成AIと評価や批判を見つめ直す

新しい用途の探求：広げよう活用スペクトラム

▼生成ＡＩとの対話の発展的な活用例

本章では、今まで見てきた言語学的知見にもとづく対話テクニックを組み合わせて、生成ＡＩの使い方をさらに広げ、深める用法の例としてお勧めしたい、少し発展的な活用法について説明します。

具体的には、次の２つを紹介します。

①評価の表し方の見直し
②否定的な批判から建設的なフィードバックへの言い換え

まずは、生成ＡＩと対話して、評価の表し方を見直すという用法について説明します。

生成AIとの対話で評価の表し方を見直す

評価の表し方

評価を他の人に伝える前に、自分の評価の表し方を見直すという用法について見ていきます。

SNSでの口コミや動画、画像、アプリなどへのコメント、企画書などへのフィードバック、テスト結果の説明など、自分の評価を他の人に伝える場面はさまざまあります。

特に、他の人に対して否定的な評価を伝えるときには、自分が伝えたいことをちゃんと表すことができているか、相手にどのように受け止められる可能性があるのかなど、評価の表し方を確認してから伝えることも、ビジネス、私生活を問わず、対人関係を築き深めるうえで大切です。

そこで、ここでは生成AIを使って、評価を表す発話や文章を分析して、それをもとに、評価を相手と共有する前に、自分の評価の表し方を見直すという用途法について見ていきます。

言語学における評価の分析

まずは言語学では、どのように評価を分析するのかを見てみましょう。

評価というものは、目に見えやすいものではありませんし、なかなか摑みどころがないものでもあります。

例えば、黒い色をした白鳥のインスタグラムの画像を見つけて、この鳥はなんて珍しく貴重なんだと思って「いいね」をしたら、実は、オーストラリアでは、比較的よく見られる普通の鳥だったなんていうことがあります。

さまざまな視点や経験を考慮して評価をするということはなかなか難しい行為ですが、「この料理とっても美味しい」「この資料すごく使えた。ありがとう」などと評価を表現したり、解釈したりすることは日常でもよくあり、対人関係を構築したり維持したりするうえで基礎となるもので、重要な言葉の機能の一つでもあります。

このような言語的な重要性から、言語学分野でも、評価を対象とした分析法がいくつか提案されてきました。

ここでは、生成ＡＩを使った評価の表し方の見直し方法を紹介する前に、機能言語主義的立場から提案され、談話分析（実際に使われた言葉を記録し、会話や文章の背景を考慮したうえで言葉がどのように使われているのかを分析する方法）で活用されているアプレイザル理論と呼ばれる分析法で、評価をどう捉えるのかをまず見てみましょう。

アプレイザル理論では、評価について、特に次の４つを考えます（なお、この理論では他にも、どのくらい断定的に話すか、どのくらい強調するかなどといった観点からも、評価が分析されます）。

①どの表現が肯定的な評価（よい評価）、もしくは、否定的な評価（悪い評価）を表すか

②何を対象とした評価か

③直接的な表現（「綺麗」など評価を表す言葉を直接使ったもの）を使っているか、間接的な表現（比喩表現や「～すぎる」などの程度表現を使ったものなど）か

④どのような評価基準を示す表現が使われているか

例として、次の企画書に対する評価がどのように分析されるかを見てみましょう。

企画書へのフィードバック

企画書を確認しました。形式的な面は良いですが、現状では採用できません。特に以下の点に注目して修正してください。

- **ターゲットや市場に関する具体的な分析が不足しています。**
- **コンセプトが不明確で、具体的な戦略や実施手段が見当たりません。**

これらの点は、企画書作成において非常に基礎的なことです。まだ、基礎知識とスキルが不足していると言わざるを得ません。再度提出してください。

このフィードバックには、いくつもの評価表現が含まれています。
まずどの表現が肯定的な評価、もしくは、否定的な評価を表すのかを見てみましょう。
このフィードバックで使われている評価を表す表現には、次のようなものがあります。

肯定的

i 「形式的な面は良い」

否定的

ii 「採用できません」
iii 「具体的な分析が不足」
iv 「不明確」
v 「具体的な戦略や実施手段が見当たらない」
vi 「基礎知識とスキルが不足」

このフィードバックは、最初こそ肯定的な評価からスタートするものの、その後は、否定的な評価が繰り返されていることがわかります。

次に、何を対象にした評価かを見てみましょう。
このフィードバックでは、２つの対象が評価されています。
一つ目の対象は企画書、２つ目は、企画書の作成者です。

それぞれの対象に使われた表現は次の通りです。

企画書を対象とした評価

「形式的な面は良い」（ⅰ）、「採用できません」（ⅱ）、「具体的な分析が不足」（ⅲ）、「不明確」（ⅳ）、「具体的な戦略や実施手段が見当たらない」（ⅴ）

企画書の作成者の評価

「基礎知識とスキルが不足」（ⅵ）

ほとんどが企画書を対象とした評価ですが、企画書に対する否定的な評価を前提として、フィードバックの締めくくりに、企画書の作成者に対する否定的な評価が伝えられています。

さらに、直接的な評価表現（「綺麗」など評価を表す言葉を直接使ったもの）を用いたものか、間接的な評価表現を用いたものかに分けてみます。

一般的に、間接的な表現には、次の3つがあります。

①比喩を使ったもの（例えば、綺麗な赤色の服を「夕焼けを身に纏（まと）ったような」と表現する場合など）
②程度表現を使ったもの（「〜すぎる」など）
③評価を示唆する事実や決断に結び付けるもの（「この物質が、地球温暖化の原因です」など）

このフィードバックでは、直接的な表現と、間接的な表現の両方が使われています。

直接的

「形式的な面は良い」（ⅰ）、「具体的な分析が不足」（ⅲ）、「不明確」（ⅳ）、「基礎知識とスキルが不足」（ⅵ）

間接的

「採用できません」（ⅱ）、「具体的な戦略や実施手段が見当たらない」（ⅴ）

直接的な表現とあわせて間接的な表現を使用することで、評価を示唆する事実や決断で表される評価対象への否定的な態度がより頑強に表現されています。

最後に、どのような評価基準にもとづく表現が使われているかを考えてみましょう。

言葉は柔軟なもので、特定の判断基準から評価を示すことができる表現もあれば、基準を曖昧にしたまま評価を示すことができるものもあります。

例えば、「その人は賢い」の「賢い」という表現は、評価対象の特徴、特に能力を基準として肯定的な評価を示すものですが、「その人はよい」の「よい」は、文脈等がなければ、何を基準として肯定的な評価を示しているかが曖昧です。

では、日本語の評価表現が表す基準には、どのようなものがあるのでしょうか。

日本語の分析では、大別して、次のような評価基準の選択肢があると考えられています。

評価者の対象への感情を基準とするもの

- 「安心する」や「悲しむ」など、評価対象から受ける**受動的**な感情を基準として態度を示すもの
- 「好む」や「嫌う」など評価対象に対する評価者の**能動的**な感情を基準として態度を示すもの

▶ 日本語で表される評価基準の種類

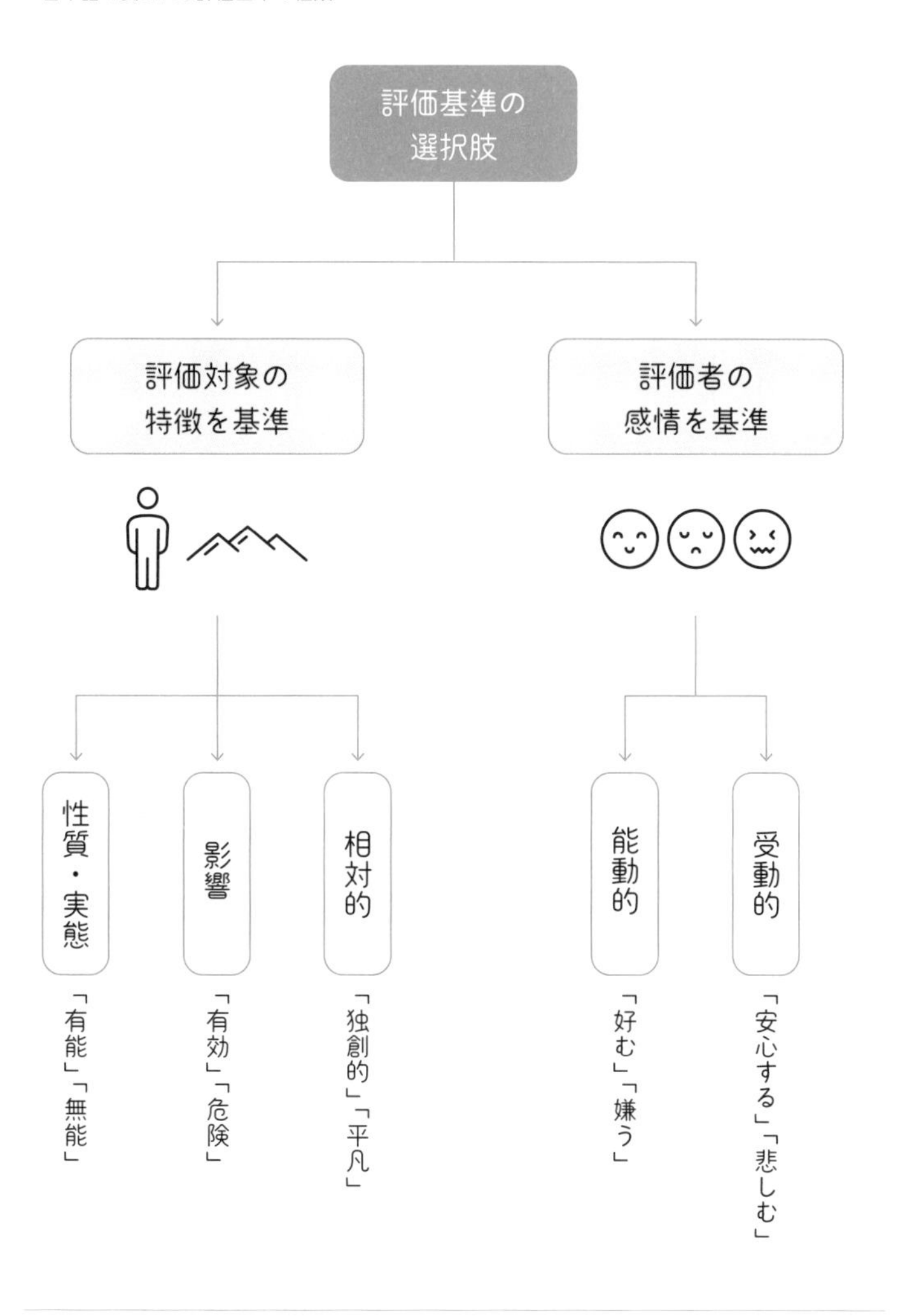

評価対象の特徴を基準とするもの

- 「独創的」「平凡」など評価対象を他のものと比べて**相対的**な基準から態度を示すもの
- 「有効」「危険」など評価対象が与える**影響**を基準として態度を示すもの
- 「有能」「無能」など評価対象の**性質・実態**を基準として態度を示すもの

それでは、これらの選択肢を踏まえて、もう一度企画書のフィードバックで使われていた評価表現を見てみましょう。

評価者の対象への感情を基準とするもの

- 使用されていない

評価対象の特徴を基準とするもの

- **相対的** 使用されていない
- **影響** 使用されていない
- **性質・実態** 「形式的な面は良い」(i)、「具体的な分析が不足」(iii)、不明確(iv)、「具体的な戦略や実施手段が見当たらない」(v)、「基礎知識とスキルが不足している」(vi)

評価基準の分析から、このフィードバックでは、感情的な基準にもとづいて態度を示すことはなく、評価対象の特徴、特に、性質・実態に関する基準に特化して、評価を繰り返していることがわかります。

以上をまとめると、この企画書のフィードバックでは、性質・実態を基準とした直接的・間接的で否定的な評価を企画書に対して繰り返し、これらにもとづいて、企画書だけでなく、企画書の作成者の問題点を指摘するようなフィードバックになっていることがわかります。

フィードバックの目的を、企画書を改善すること、および、企画書の作成者の知識やスキルを向上させることとした場合、このような評価分析を通して、自分がどのように評価を表しているか、第三者の立場から振り返り、自分の評価の表し方が、目的に対して効果的か否かを、見直すことができます。

ただし、このような分析を一つひとつ自分で行うのは、容易ではありません。

そこで、自分が誰かに、肯定的な評価、もしくは、否定的な評価を伝える前に、生成A

Ｉと対話して、自分がどのように評価を表しているかを見直す方法を説明します。

これまで見てきた言語学的知見にもとづく生成ＡＩとの対話テクニックを使うことで、このような複雑な分析も生成ＡＩとともに行うことができます。

具体例として、次のような評価のコメントをＳＮＳでシェアしようとしているとしましょう。

評価のコメント

口コミを見て古民家カフェに行ってみました。ゆっくりしたいと思って行ったのですが、古民家カフェにあんな怖い店員さんがいるとは。もう一度行くことはないと思います。

このコメントをＳＮＳなどに投稿する前に、生成ＡＩと一緒に、自分がどのように評価を表しているのかを見直してみましょう。

ちょっと長めのプロンプトになりますが、先ほどの企画書のフィードバックと同じステップを踏んで、このコメントでの評価の表し方を生成ＡＩに整理してもらいます。

ここでは、第4章〜第6章で見てきた、状況設定、指示／質問の説明、例の提示、入力値を構成要素としてプロンプトを書いてみます。

プロンプト7-1　評価の表し方の見直しのための分析

 # 状況設定：
古民家カフェについて、口コミをSNSに投稿することを想定しています。あなたは感情や評価の分析を専門とする言語学者、私は口コミの投稿者です。この会話の目的はSNSに投稿する前に、口コミでの評価の表し方を見直すことです。

 # 指示：
入力値として口コミの下書きを与えるので、次の手順に従って、口コミの分析をしてください。

①口コミに含まれる評価表現をリストし、肯定的な態度を示すものか、否定的な態度を示すものか分類してください。また、直接的な表現か間接的な表現かも分類してください。
②何を対象とした評価があるかリストしてください。

③どのような評価基準をあらわす表現が使われているか。評価基準は、A～Eの5つのうちから一つを選んでください。

A：「安心する」や「悲しむ」など、評価対象から受ける**受動的**な感情を基準として態度を示すもの

B：「好む」や「嫌う」など評価対象に対する評価者の**能動的**な感情を基準して態度を示すもの

C：「独創的」「平凡」など評価対象を他のものと比べて**相対的**な基準から態度を示すもの

D：「有効」「危険」など評価対象が与える**影響**を基準として態度を示すもの

E：「有能」「無能」など評価対象の**性質・実態**を基準として態度を示すもの

例

入力値：

○○ラーメンに行ってきました！スープは本当に美味しかった。ただ、チャーシューにはちょっとがっかり！味が浸透していないように感じました。

①肯定的な表現：「本当に美味しかった」（直接的）
否定的表現：「ちょっとがっかり」（直接的）、「味が浸透していない」（間接的）
②評価の対象：スープ、チャーシュー
③評価基準：Ａ**受動的**（「ちょっとがっかり」）、Ｅ**性質・実態**（「本当に美味しかった」「味が浸透していない」）

＃入力値（口コミ）
口コミを見て古民家カフェに行ってみました。ゆっくりしたいと思って行ったのですが、古民家カフェにあんな怖い店員さんがいるとは。もう一度行くことはないと思います。

このプロンプトに対して、生成ＡＩは次のように回答しました。
①〜③のステップごとに返事をしてくれています。

生成ＡＩの回答

分析結果

①評価表現

肯定表現：なし

否定表現：

「怖い」（直接的）

「もう一度行くことはない」（間接的）

②評価の対象

店員

③評価基準

A **受動的**（「怖い」）

考察

この口コミは、古民家カフェの店員に対する評価を述べています。直接的な表現では、店員を「怖い」と表現しています。また、間接的な表現では、もう一度行くことはないと述べることで、店員の対応に不満を持っていることを示しています。

評価基準としては、店員から受ける**受動的**な感情を基準として態度を示しています。この場合の感情は、恐怖や不安などのネガティブなものであると解釈できます。

生成AIが、古民家カフェへの口コミで、どのように評価が表されているかを分析してくれています。分析結果を見て、このように評価を伝えることが、自分の目的と合致しているのかを考慮してみましょう。

例えば、この口コミでは、「店員さん」に対する否定的な評価が、評価者の感情的な基準にもとづき表されています。

この評価の表し方は、人（店員）を対象として直接的に恐怖感を表しており、店員さんの観点から見れば、自分自身が否定される評価となります。

しかし、同じ否定的な態度を示す場合でも、他の選択肢を選ぶこともできるわけです。

例えば、評価対象の選択では、「店員さん」を直接評価対象とするのでなく、店員さんが行った行動やサービスに対して評価すれば、人を直接評価することにはなりません。「怖い店員」と評価を表すのでなく「言葉使いが乱暴だった」などと店員さんでなく店員さんの行為を直接評価したほうが、むしろサービスを改善する機会につながるかもしれません。

また、感情的な基準だけでなく、「子どもへの対応が雑だった」など、サービスの丁寧さについての問題点（性質・実態）などを伝えることで、具体的な改善方法のヒントとなるような評価の表し方になるかもしれません。

このように、聞き手・読み手に自分の評価を伝える前に、自分の評価の表し方を生成AIと一度整理することで、自分の伝えたいことをちゃんと表すことができているのか、相手にどう伝わる可能性があるのか、他により効果的な評価の表し方はないかなど、一度見直してから、相手に伝えることができると思います。

生成ＡＩとの対話で批判を建設的なフィードバックに言い換える

言い換えの力

ここまで本章では、生成ＡＩを使って、自分の評価の表し方の見直しをするという用途を見てきましたが、評価やフィードバックを誰かから自分が受け取る場合にも、生成ＡＩとの対話を活用することができます。

我々は、他の人に評価やフィードバックを伝える機会がある一方、批判的な評価やフィードバックを受け取る機会もしばしばあります。

評価やフィードバックの中には、現状を改善していくために有用なものもあれば、逆に、否定的な批判のみで、モチベーションを下げてしまうようなものもあります。

▸ 含意の例

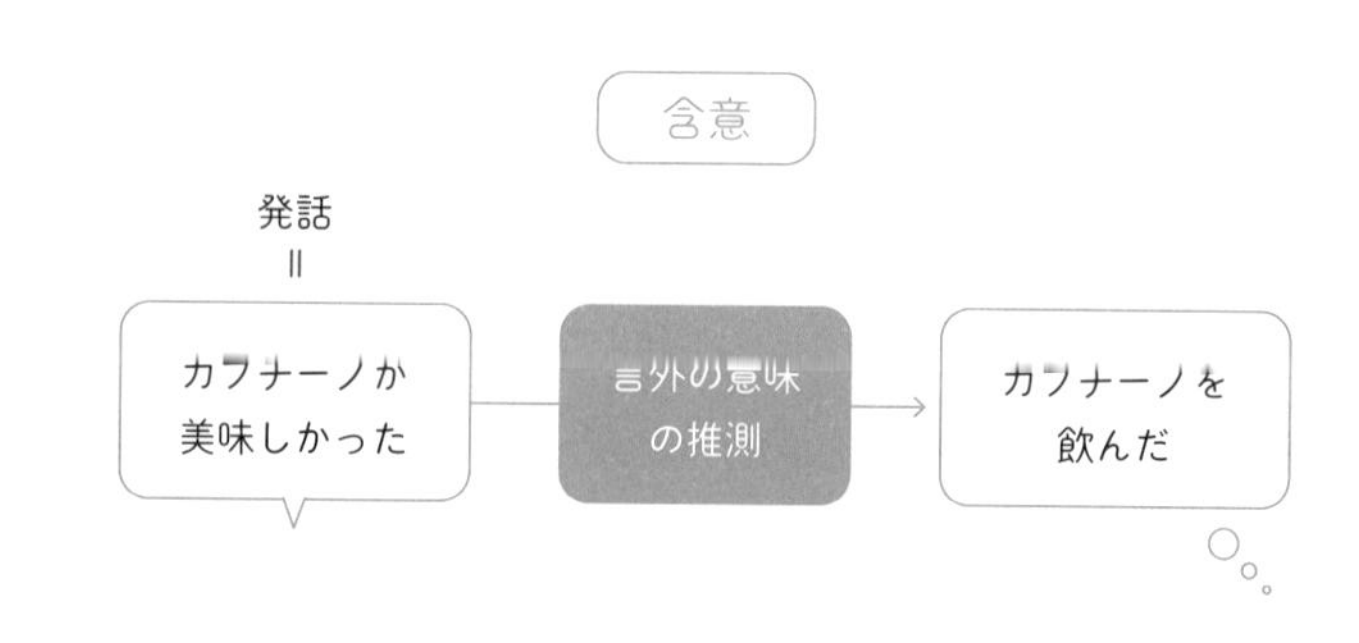

そこで、ここでは生成AIを使って、否定的な批判を建設的なフィードバックに言い換えてしまう方法を見ていきます。

▼言語学における言い換え

まずは、言い換えとはどのような言語活動なのかを考えてみましょう。言語学で言い換えを扱うときには、**含意**という概念を使って考える場合があります。

含意とは、簡単に言うと「Aが成り立つのであれば、Bである」（例えば、「カプチーノが美味しかった」と言う人がいたら、その人は「カプチーノを飲んだ」と推測できる）という関係のことです。

含意という考え方の便利なところは、与えられた文章や発話から、言外の意味まで推測できるようになることです。では、この含意という考え方を、否定的な批判を建設的なフィードバックに言い換えるのに、どのように活用できるのか見ていきましょう。

ネガティブ批判を建設的思考に再構築する

ここでは、プロジェクトの立案書を上司にチェックしてもらったところ、次のような評価が返ってきたと仮定しましょう。

上司からの評価

このプロジェクトは、何が目的で、誰をターゲットにしているのか、よくわかりません。スケジュールは、あまりにもタイトで、予算もちゃんと考えられてない。もう一回考えてきて。

この評価では、否定的な批判が繰り返されており、直接的に伝えられたことだけを解釈すると、評価を伝えられた人は、モチベーションが下がってしまうことでしょう。
また、この評価では、立案書を改善するにはどうしたらいいのかが明示されていません。

そこで含意の概念をプロンプトで使って、この評価で指摘されている問題点への改善策として推測できることを考え、否定的な批判を建設的なフィードバックに言い換えてみましょう。

例えば、「傷口に絆創膏を貼った」という解決策を取ったとすると、「切り傷ができた」という問題があったことを、含意の関係から推測できます。

同様に、この評価で指摘された問題が含意されるような解決策を、生成ＡＩに考えさせることで、否定的な批判を建設的なフィードバックに言い換えてしまおうというわけです。

建設的フィードバックへの言い換えに、生成ＡＩを利用する具体例として、**状況設定**、**指示／質問の説明**、**入力値**をプロンプトに含めて、生成ＡＩと次のように対話してみます。

なお、プロンプトの**状況設定**には、フィールド（当該のコンテクストでどんなことが起きているか）、テナー（誰がどんな立場で関わっているか）、モード（コンテクストにおける言葉の役割はどんなものか）の記述を含めています。

指示には、論理－意味関係の詳細化（従属部が主部の指示や質問を言い換えたり、明確化したりする）の関係を持つ記述を補足して、「建設的なアドバイスに言い換えて」という指示の具体的な手順を説明しています。

プロンプト７－２ 建設的フィードバックへの言い換え

＃状況設定：
プロジェクトの立案書の評価を元に、立案書を改善することを想定しています。あなたは含意を専門とする言語学者、私は立案書の作成者です。この会話の目的は、上司からもらった評価から立案書をどう改善したら良いか考えることです。

＃指示：
上司からの評価を建設的なアドバイスに言い換えてください。これを以下のステップで実行してください。

①まず、上司からの評価で指摘されている批判やネガティブな意見で、何が問題とされているか特定してください。

②次に、否定的な批判やネガティブな意見で問題とされていることをもとに、どのような改善方法があるか推測してください。
③最後に、推測した改善方法に着目して、上司からの評価を建設的で未来志向なものに言い換えてください。

#**入力値（上司の評価）**：
このプロジェクトは、何が目的で、誰をターゲットにしているのか、よくわかりません。スケジュールは、あまりにもタイトで、予算もちゃんと考えられてない。もう一回考えてきて。

このプロンプトに対して、生成ＡＩは上司の評価を次のように言い換えました。

生成AIの回答

プロジェクトの目的とターゲットを明確にし、その根拠を示すことで、プロジェクトの成果が誰にとってどのような価値があり、どのような影響を与えるのかをより明確にすることができます。また、プロジェクトのスケジュールを再検討し、必要な時間やリソースを確保することで、プロジェクトの成功率を高めることができます。さらに、プロジェクトの費用を詳細に検討し、予算内に収まるようにすることで、プロジェクトのリスクを軽減することができます。

生成AIは、上司の否定的な批判を「プロジェクトの目的とターゲットを明確に」「プロジェクトのスケジュールを再検討し、必要な時間やリソースを確保する」「プロジェクトの費用を詳細に検討し、予算内に収まるようにする」といった建設的なフィードバックに言い換えてくれています。

このような言い換えによって、上司の否定的な批判を別の観点から見ることができるようになり、建設的なフィードバックとして立案書の改善に取り組めるようになるのではないかと思います。

また、次のように様式の選択のプロンプトで生成AIとの対話を続けて、否定的な評価の言い換えから、改善案にさらに取り組みやすくなるように、やることリストを作成するのもよいでしょう。

プロンプト7-3　TODOリストの作成（2ターン目）

建設的なアドバイスを元に、TODOリストを作ってください。

生成AIの回答

建設的なアドバイスを元に、TODOリストを作成すると、以下のようになります。

TODOリスト

- **プロジェクトの目的とターゲットを明確化する**
  - ○プロジェクトの背景や課題、解決策などを詳細に説明する。
  - ○プロジェクトの成果が誰にとってどのような価値があり、どのような影響を与えるのかを示す。
- **プロジェクトのスケジュールを再検討する**
  - ○プロジェクトの各タスクの作業量や工数を正確に算出する。
  - ○必要な時間やリソースを確保する。

- **プロジェクトの費用を詳細に検討する**
  - ○プロジェクトに必要なリソースや費用を洗い出す。
  - ○予算内に収まるようにする。

これらのTODOを完了することで、プロジェクトの成功率を高めることができるでしょう。

言葉を介して評価を表したり、解釈したりすることは、評価を伝える側と受け取る側の対人関係をよくする場合もあれば、壊してしまう場合もあります。

生成ＡＩとの対話を介して、自分が評価をするときには、評価の表し方を見直し、評価を受け取るときには、建設的なフィードバックに言い換えることで、対人関係を良好なものにしたり、改善したり、モチベーションを取り戻したり、高めたりするのに活用できると考えます。

本章では、ここまで解説してきた言語学的知見にもとづく生成ＡＩとの対話スキルを組み合わせて、

①評価の表し方の見直し

②否定的な批判から建設的なフィードバックへの言い換え

という、生成ＡＩの２つの活用方法について説明しました。

日常的な作業を効率化したり、創造的な文章を作ったりする手伝いだけでなく、本章でお伝えしたような少し発展させた用途でも、生成ＡＩを活用することができます。

これらの用途は一例に過ぎません。「生成ＡＩスキルとしての言語学」を活用して、生成ＡＩとの対話をさらに広げ、深めて、ご自身でもさまざまな用途を考えてみてください。

第8章

生成AIによってさまざまな「壁」が溶けていく

総括：生成AIスキルとしての言語学

10分でまとめ：生成AIとの対話テクニック

まず、簡単に、本書の内容を振り返ってみましょう。第1章では、生成AIとはどういったものか、どのような仕組みで回答を生成しているのか、人同士の対話と生成AIと人との対話の相違点は何かについて、次のように概説しました。

①生成AIは、専門的な知識がなくとも、自然言語を使って、情報を理解したり、アイディアを表現したりとさまざまな用途に利用することができます。

②生成AIは、トランスフォーマーと呼ばれる仕組みを根幹として大量のデータから言葉の使われ方を学習し、回答を生成しています。

③人が対話の目的によって言葉を選択している一方で、生成AIはデータから学んだパターンにもとづいて会話を生成しているという点で違いがあります。

第2章では、なぜ言語学が生成AIと対話するのに活用できるのか、また、言語学とはそもそもどのようなものか、特に、SFL（選択体系機能言語学）での言葉の捉え方について説明しました。

①言語学が生成AIとの対話に活用できるのは、生成AIとのコミュニケーションが形式言語でなく自然言語で行われるから、また、どのように指示や質問（プロンプト）を表現するかによって、生成AIの知識やスキルをどこまで活かせるかが変わってくるからです。

②言語学は、音韻、文字、語彙、文法、意味、コンテクストといった言葉の層を対象として、言葉の構造の規則性や機能を捉えようとする学問です。本書では、構造主義的な立場と機能主義的な立場で、言葉をどのような観点から捉えるのかについて概説しました。

③SFLでは、言葉の機能には、経験を解釈する機能、対人関係を築く機能、情報・考えを整理して会話や文章として形成する機能の3つがあるとされています。この考え方が

(1)指示や質問を生成AIに伝えるうえでの言語の機能
(2)生成AIが作成した回答を解釈するうえでの言語の機能
(3)生成AIと共同作業で作成したものを人に伝えるうえでの言語の機能

を考慮するのに利用できることを説明しました。

第3章では、生成AIとの対話の目的にどのようなものがあるのか、また、生成AIに指示や質問をする場合、プロンプトは、どのような構造をしているのかを、GSP分析という方法を使って、説明しました。

①生成AIとの対話の目的には、大きく分けて、情報やアイディアを理解する、情報やアイディアを表現する、考えを分析・整理する、といったものがあります。

②指示や質問を生成AIにする場合、プロンプトに含める要素として、次のような選択肢があります。

指示や質問のプロンプトの構造

（状況設定）・指示／質問の説明・（様式の選択）↓（例の提示）↓（入力値）

指示や質問の説明は必須ですが、他の要素はオプショナル（選択可能）なもので、対話の目的に応じて選択します。

第4章では、プロンプトの構成要素のうち、状況設定について詳しく見ました。状況のコンテクストという考え方を使って、フィールド、テナー、モードを、状況設定として記述することで、生成AIの知識やスキルをどのように引き出すことができるかを概説しました。

①言葉の選択に影響するコンテクストの要素には、次の3つがあります。

フィールド：コンテクストで何が起こっているのか。どのような出来事が起き、どんな人・物が出来事に関与しているか

テナー：コンテクストにおいて、誰がどのような立場・役割を持っているか。立場・役割は当該のコンテクストに限定されるものか、それとも、それ以外でも成り立つ立場・役割か

モード：コンテクストにおいて、言葉がどのような役割を果たすのか。役割に応じて、どのように言葉が形成されるのか

②生成AIとの対話において、フィールドを説明することで、生成AIとの対話の内容を、より自分の目的に合致したものにすることができます。

テナーを説明することで、生成AIとの対話の専門性、視点などをコントロールすることができます。

モードを説明することで、生成AIに目的に合ったかたちで回答を構成させることができます。

第5章では、**指示/質問の説明**は、生成ＡＩがどのように回答を生成するかを誘導するうえで重要になるということを、発話機能と論理－意味関係という知見を使って説明しました。

① 発話機能の知見にもとづくと、指示は「物・サービスを要求する発話」、質問は「情報を要求するための発話」と定義できます。

② 指示や質問は、一文だけからなるものに限らず、論理－意味関係によって補足できます。主な論理－意味関係には、大きく分けて、詳細化、増補、拡張、の3つがあります。

(1) **詳細化**によって指示や質問を補足することで、生成ＡＩが回答を作成する際に具体的に何を実行するかを誘導できる。

(2) **増補**によって指示や質問を補足することで、生成ＡＩがどのように、もしくは、どんな条件を考慮して回答を作成するかを誘導できる。

(3) **拡張**によって指示や質問を補足することで、生成ＡＩが回答を作成する際に、指示や質問をどのような手順で実行するかを誘導できる。

第6章では、「様式の選択」「例の提示」と、複数のやりとりからなる生成AIとの対話について見ました。具体的には、次の3つについて概説しました。

① **様式**（文体、形式、媒体、ジャンルなど）**の選択**を生成AIに伝えることで、生成AIの表現力を引き出せます。

② **例の提示**をすることで、生成AIに、**状況設定**や**指示／質問の説明**の内容をどう回答に反映したらよいか伝えられます。

③ 生成AIとの対話を、一度のやりとりだけでなく、複数回続けることで、前の対話を踏まえて、生成AIに回答を補足、修正させられる。また、前提知識を引き出したうえで、回答を生成させることもできます。

そして最後に第7章では、第3章～第6章で解説してきた知見を組み合わせて、生成A

Iの使い方をさらに広げ、深めるような用法の例としてお勧めしたい、少し発展的な生成AIの用途を2つ紹介しました。

アプレイザル理論の知見を使って、評価の表し方の見直しをするという用途、含意という概念にもとづいて、否定的な批判から建設的なフィードバックへの言い換えをするという用途を説明しました。

①アプレイザル理論の分析方法を活用して、聞き手・読み手に自分の評価を伝える前に、自分の評価の表し方を生成AIと一度整理することで、伝えたいことをちゃんと表すことができているのか、相手にどう伝わる可能性があるのか、他により効果的な評価の表し方はないかなど、第三者の立場で見直すことができます。

②含意という考え方を生成AIとの対話に利用して、否定的な批判を建設的なフィードバックに言い換えて、自分や物事を改善するためのアドバイスに再構築することができます。

人と人とのコミュニケーション手段としてだけでなく、生成AIと人とのコミュニケーション手段という新しい言葉の機能が生まれた今、「生成ＡＩスキルとしての言語学」を使って、生成ＡＩの能力を自分の目的に合わせて引き出し、生成ＡＩとの対話をより広く、深くするための一手段として、活用していただければ幸いです。

対話の深層へ

生成ＡＩは、専門家ツールではなく、身近な話し相手

本書では、言語学的知見を活用して生成ＡＩと対話することで、生成ＡＩの知識やスキルを引き出し、自分の目的に合った回答を引き出すテクニックについて見てきました。

また、生成ＡＩと対話するということは、人と話すのに比べて一見難しそうに思えますが、実は、我々が普段使っている言葉で話しかければよいと言うことを、具体例を通して見てきました。

冷蔵庫の残りものから夕飯のメニューを考えるような日常的な場面でも、学校の課題について調べたりするような学習的・教育的な場面でも、企画書を考えるようなビジネスの場面でも、ＳＮＳの動画のタイトルやキャッチコピーの叩き台を考えるようなクリエイティブな場面でも、生成ＡＩは、話しかければ手伝ってくれます。

他のコンピュータや機械に比べて生成ＡＩはさまざまな用途に利用できるため、どのようなことに使えるのか、まだ曖昧で漠然としていると感じている方もいるかもしれません。まずは、自分の生活、勉強、仕事といった身近なところで、本書で解説してきた生成ＡＩとの対話スキルを活用し、生成ＡＩと話してみてください。

気をつけること、お勧めの使い方、学習の場の必要性

第1章ですでに述べましたが、改めて本章でも、生成ＡＩを使用するうえでの注意事項について言及しておきたいと思います。注意事項を把握したうえで、生成ＡＩを活用することが重要です。

- 生成AIに入力したデータがどのように利用されるのかを確認する
- 生成AIが作成する回答は、常に正確だとは限らない
- 生成AIが作成する回答には、学習に使われたデータに存在する偏見、偏った考え方が反映されてしまうことがある

これらの注意事項は、人と人の対話にも当てはまります。

我々は、人と話すときに、誰と話すかによって、何を話していいか、何を話すとリスクを伴うのかを考慮しますし、意図的にせよ無意識にせよ、相手が常に正確な情報を伝えてくれるとは限らないことを知っています。また、偏った立場からの意見を聞くこともあるでしょう。

これらの注意点を習慣的に考慮しつつ、生成ＡＩを活用してください。

生成ＡＩは、我々と違い、対話の目的を持っていません。自分が常に対話の主導者になり、判断して、生成ＡＩと対話する必要があります。

生成ＡＩのことを「スペックの高い新入社員」と比喩する人もいます。いろいろなことを知っていて、能力はあるけれど、その知識や能力を発揮するのに、会社の文化や、自分の能力をビジネス用途に適用する方法を、「先輩」である我々が伝えてあげる必要があるというわけです。

生成ＡＩというテクノロジーが何を可能とするのかでなく、我々が生成ＡＩを使って何をするのか、なぜそう使用するのか、意識して活用することが重要だと考えます。生成Ａ

Ｉは、あくまで我々のサポートをしてくれるパートナーであり、我々が対話における主導者であるという認識を持つ必要があると考えます。

今後、さらに多様な生成ＡＩが開発されていくことが考えられます。

一つの生成ＡＩだけを利用するのでなく、複数の生成ＡＩを利用することが、さまざまなリスクを避け、かつ、より幅広い視点から対話するのに必要だと考えています。

病気の診断結果などで、複数の医師に、セカンドオピニオンとして、意見を求める場合があります。

同様に、何か生成ＡＩに質問したり、指示を出したりする場合には、一つの生成ＡＩの回答を鵜呑みにするのでなく、複数の生成ＡＩを使用し、それぞれの生成ＡＩからの回答を比較することで、ある程度リスクを軽減することが可能だと考えられます（もちろん、全ての生成ＡＩが間違った回答をするリスクは残りますが）。

生成ＡＩの提供元によって開発方法や調整方法が異なれば、回答の仕方に違いが出てきます。

生成ＡＩの公開の条件が政府や専門家によって定義され、提供元もリスクを軽減する対策を強化していく一方で、利用する我々の側でも、複数の生成ＡＩを利用するなど、リスクを理解し、防ぐ行動が必要と考えます。

さらに、生成ＡＩの開発だけでなく、利用方法に関するより多くの研究的・教育的な機会が必要だと考えます。

人と人のコミュニケーションに関しては、学校の授業やコミュニケーションの研修などで学ぶ機会があります。

言葉が、人と人との間だけでなく、人と生成ＡＩとのコミュニケーション手段として普及し始めている今、人と生成ＡＩとのコミュニケーションの方法やリスクについても、学習できる機会が必要だと考えます。

対話相手としての生成ＡＩ

ここで、生成ＡＩとの対話とは何なのか、改めて皆さんと考えてみたいと思います。

そもそも、相手が人か、生成ＡＩとの対話かにかかわらず、「対話すること」の大きなメ

▸「代替 vs. プラス」のプロセス

企画書を書かなきゃ。
生成 AI にやってもらおう。

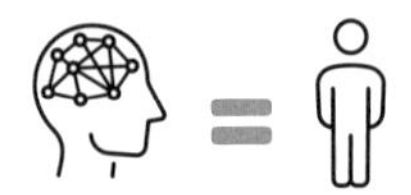

代替のプロセス

企画書を書かなきゃ。
生成 AI を活用して、
今までよりよいものを作ろう！

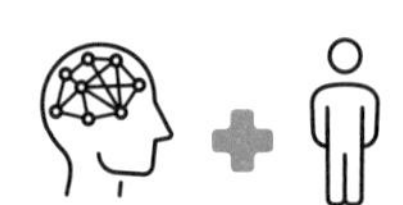

「プラス」のプロセス
（自分＋生成 AI）

リットの一つは、自分だけで表現したり、考えたりするだけではたどり着けない、新しい発想や価値観に出会えることにあります。

対話による刺激は、自分を変化させるきっかけとなる可能性があります。

私は、生成ＡＩを利用するという行為は、今まで自分でやってきたことを生成ＡＩに代替させることを目的とするものでなく、「自分＋生成ＡＩ」で、自分に生成ＡＩという刺激を与えて、今までやってきたことをさらに向上させたり、今まで思いつかなかったことを創造したりする「プラス」のプロセスと考えています。

このことを踏まえて、本書では「生成ＡＩとの対話」という表現を多く使ってきました。

質問をする、指示をするということ

生成ＡＩは、人がやっていることを人工知能が簡単にするはずなのに、なぜ、質問や指示の仕方をそんなに工夫しなくてはいけないのか、それでは逆に大変ではないか、といった指摘もあるかもしれません。

今までの人工知能や機械は、用途が限定されていることもあり、スイッチを押したり、「アラームを設定して」と短い発話をしたりすれば、その作業を実行してくれました。
これらの人工知能や機械と同じように生成ＡＩを位置付けるのであれば、その指摘通りかもしれません。

一方で、質問を考えたり、指示をしたりするという行為は、自分の目的を達成するために何を知ることが大切か、どのような手順や背景を学習しないと実現できないかを整理するプロセスでもあります。

例えば、博士論文の研究テーマを考えるときには、リサーチクエスチョンとして、どんな問いを立てるのかを、数ヶ月かけて考えるようなケースもあります。

どんな質問について答えを出すことが、その分野の知識の拡張や深化に貢献できるのか。文献を調べ、実験を重ねたうえで、リサーチクエスチョンを設定します。

また、指示を出すときも同様に、調理方法などの作業マニュアルを作る場合などは、どのようにしたら失敗してしまうのか（何をしたら、味が変わってしまうのか）、注意点は何か（加熱する場合の温度の調整方法）、どのような条件が揃ったら、次の過程に進めるのか（材料A・B・Cの下処理が終わってから　加熱する）などについて、整理することが必要です。

生成AIは、対話者の背景や目的を自ら察して知っているわけではありません。

生成AIと複雑なタスクを一緒に行う際には、質問や指示をどう構成するのがよいかをプロンプトとして表現することも、自分の考えや目的を整理し、それを生成AIと一緒に達成するうえで、重要なプロセスであると考えます。

100のあたりまえから、一つのダイヤモンドを作る

生成ＡＩとの対話において、プロンプトを書くということは、生成ＡＩに最終的なアウトプットを作成させることを目的とするのではなく、生成ＡＩとの対話を利用して、自分のアウトプットの質をさらに向上させることを目的とすることが重要だと考えます。

コピーライティングの技術の一つとして、まずは、あたりまえでも陳腐でも、叩き台となるキャッチコピーを１００本作って、アイディアを出し切ると伺ったことがあります。アイディアを出し切って、１００のあたりまえを見渡し、そこから創造的なキャッチコピーを考えることが、ターゲット層の心を捉える斬新な表現を生み出すうえで重要となるようです。

そもそも何かを書いたり、作り出したり、アウトプットするという行為は、多くの場合、時間のかかる作業です。

生成ＡＩとの対話によって、夕飯のメニューを考えることから、ビジネスの企画書を書

くことまで、さまざまなことを効率化できることも確かです。それによって他の作業に回せる時間ができるかもしれません。

効率化も重要である一方で、生成ＡＩとのアウトプット作業は、我々が今までやってきたことを改善したり、質を向上させたり、さらには、一つ上の次元を目指したりするチャンスにもなります。

生成ＡＩとの対話を活用して、自分のアウトプットをさらによくするチャンスに貪欲になって、今よりさらによいものを創造することにつながればと思います。

生成ＡＩが普及し、アウトプット作業が簡単になることで、質の低い文章やハルシネーションを含む記事などが、インターネットに出回ることになるという懸念があるのも確かです。

そのような事態を防ぎ、さらに、今までよりも質の高いアウトプットが世の中に誕生していくように、生成ＡＩと対話するときには、先ほど述べた「プラス（自分+生成ＡＩ）」のプロセスを前提として、作業の効率化とともに、自分のアウトプットの質を向上させることを目的とするのが重要だと考えます。

生成AIは「上位層」用のツールではありません

　生成ＡＩの利用はさらに普及していますが、一方で、生成ＡＩは一部の「上位層」（専門知識がある人、最先端の技術を活用している人）のツールといったイメージもあるようです。一般的に、生成ＡＩは「私にはまだ早い」とか「特別なツールで私とは縁がない」といった意見もあるようです。

　しかし、一部の研究によると、生成ＡＩを利用することによって一番顕著に生産性が上がったのは、もともとパフォーマンスが高い層ではなく、経験が少ない層や、パフォーマンスが低い層であったという結果が報告されています。

　生成ＡＩを利用するリスクや安全性に配慮したうえで、「生成ＡＩスキルとしての言語学」の知見を使って、生成ＡＩにぜひ話しかけてみてください。

　将来的には、生成ＡＩが我々の代わりになるのでなく、経験による溝を埋め、できなかったことをできるようにしてくれるサポート役として位置付けられるような存在として、社会に捉えられるようになっていけばと思います。

新しい選択肢：個、生成AI、社会、シェアードディスコースという考え

生成ＡＩとの対話という新しい選択肢が、言葉の役割の一つとして存在するようになりました。

本書の最後に、この新しい選択肢が、個人と社会の間で、どのような役割を果たすことができるのかについて考えてみたいと思います。

言葉は、経験、知識、社会活動と密接に関わってきました。

我々は、見たことや感じたことがない経験であっても、他の人が見たり感じたりしたことを言葉によって記述したものがあれば、それを経験として解釈することができます。

我々が知識として扱うものの多くも、言葉によって表されています。書籍、論文、インターネットを介して、我々はその知識にアクセスできます。

また、何か技術や経験を教わるような場合でも、言葉が果たす役割は少なくありません。

同様に、さまざまな社会活動も、言葉を原動力として実現される場合が多々あります。誰かを説得して行動させたり、思想を共有したりするのにも、言葉が中心的な役割を担うこ

▶ ディスコースの範疇

ニュース報道のディスコース

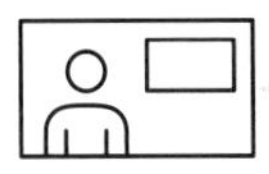

新しい生成 AI のモデルが
リリースされたとのことです

なぜ生成 AI の
ニュースが
取り上げられた？

他のモデルでなく、
このモデルについて
報道する背景は？

どのような視点から
報道されている？
ポジティブ？　ネガティブ？

とが多くあります。

ただしインターネットが普及した今でも、誰でも容易にさまざまな経験、知識、社会活動を表現した会話や文章を、自分の状況に適応させて、取り出すことができるというわけではありません。

言葉の壁があり、社会の壁があり、コミュニティーの壁があります。超えられない壁の先の言葉は、個人・社会間で共有されることは滅多にありませんでした。

言語学では、会話や文章とそれを取り囲む背景、状況や文化など（会話・文章＋コンテクスト）を含めて、**ディスコース**と呼びます。

例えば、ニュースである報道があったとす

ると、そのディスコースには、アナウンサーの発言だけでなく、なぜそのニュースが取り上げられたのか、そのニュースを報道する背景は何なのか、どのような視点から報道されているのかといったことも含まれます。

インターネットや多言語翻訳の普及、SNSの普及によって、我々は以前よりは多くのディスコースにアクセスできるようになったものの、ディスコースに蓄積された経験、知識、社会活動などを、自分の経験や知識、行動に結び付けるのは、未だ容易なことではありません。

例えば、インテリアのコーディネートテクニックについてのブログを読んでも、知らない言葉ばかりで理解できなかったり、載っていたテクニックを自分の部屋のコーディネートに適用できなかったりすることもあるでしょう。

生成AIとの対話は、この状況を変える可能性があります。

生成AIは、自分の知らない言語で書かれたテキストであっても、自分が調べたいと思っていることに対する回答を自分の状況に合わせて直接引き出すサポートをしてくれます。

仮に、アクセスできても文章が難解でわからなかったような情報も、生成ＡＩにわかりやすい文章に書き換えてもらって、理解することができます。

これは、「コミュニティー言葉」（ある集団の中にいれば理解できるが、外からは理解が難しい言葉）にも当てはまり、例えば、第1章で説明したサーファーコミュニティーでは伝わるが、コミュニティーの文化や背景を知らない人にはわからないような会話（サーフィン用語の「オンショア」「オフショア」「頭」など）も、生成ＡＩとの対話で、解釈できるようになるかもしれません。

これは、今まで、物理的・社会的・言語的な壁で、共有することができなかったディスコースを、個人・コミュニティー・社会間で共有できる可能性を示唆するものと考えられます。

生成ＡＩは、言語・社会・コミュニティーの壁を超えて、いくつものディスコースから得られた大量のデータを学習することで、言葉を生成しています。

この生成ＡＩに我々がアクセスし、対話することで、自分が普段は超えられない壁を溶かして（一瞬で超えたり、壊したりできる壁ではないことも多いと思うので「溶かす」としています）、さまざまなディスコースとつながることができます。

▶ 新しいつながりの選択肢：シェアードディスコース

つまり、我々は、生成ＡＩを媒介として、さまざまな社会やコミュニティーとディスコースを共有するという新しいつながりの選択肢を見つけたことになるのではないかと考えます。この選択肢を、私は**シェアードディスコース**（Shared Discourse）と呼ぶことにします。

では、生成ＡＩとの対話によって、シェアードディスコースが可能になったときに、重要なことは何なのでしょうか。

私は、それは、人の主体性ではないかと考えています。シェアードディスコースによって、我々は、生成ＡＩと対話することで、自分が今まで解釈したことがない経験などを、自分の状況に合わせて、解釈できるようになると考えられます。

これは、個の経験や能力を高めるうえで、有効な手段になり、さらには、コミュニティーや社会の発展につながるものかもしれません。

ただし、さまざまなディスコースを活用できるようになったときに、我々は、どのディスコースが自分の目的に合致するか、重要か、ディスコースを共有することが有益かを判断できる必要があります。

現状では、生成ＡＩにハルシネーションや偏見の問題がある以上、生成ＡＩが、必ずしも、世の中に存在するディスコースをそのまま我々に提示しているとも限らないというリスクもあります。


「生成ＡＩスキルとしての言語学」は、生成ＡＩとの対話をより広げ、深めるためのテクニックです。これを活用することで、普段何気なく使っている言葉を再認識しつつ、プロンプトを書くことで自分のディスコースとシェアードディスコースをつなげて、生成ＡＩとの対話がより広く深くなり、個人や社会のディスコースをも広げ、深めていけるようになればと考えます。

さあ、何から生成ＡＩと話しますか？

謝辞

本書を執筆するにあたり、貴重なご意見をいただいたGoogleのトルヒナ・アンナさん、池田大介さん、関西大学の比留間太白教授、武庫川女子大学の森篤嗣教授、かんき出版の編集者の金山哲也さんに、心から御礼申し上げます。

参考文献

- Halliday, M.A.K and Matthiessen, Christian M.I.M. (2013). Halliday's Introduction to Functional Grammar. Abingdon, Oxon: Routledge.

- Hasan, R. (1984). 'The Structure of the Nursery Tale: An Essay in Text Typology'. Linguistica Testuale, ed. by L. Coveri, 95-114. Rome: Bulzoni.

- Yang, C., Wang, X., Lu, Y., Liu, H., Le, Quoc V., Zhou, D. and Chen, X. (2023). 'Large Language Models As Optimizers'. arXiv:2309.03409 [cs. LG].

- Li, C., Wang, J., Zhang, Y., Zhu, K., Hou, W., Lian, J., Luo, F., Yang, Q. and Xie, X. (2023). 'Large Language Models Understand and Can be Enhanced by Emotional Stimuli', arXiv. 2307.11760, [cs.CL].

- Brynjolfsson, E., Li, D. and Raymond, Lindsey R. (2023). 'Generative AI at Work', arXiv:2304.11771 [econ.GN].

- Kojima, T., Gu, S. S., Reid, M., Matsuo, Y. and Iwasawa, Y. (2022). 'Large Language Models are Zero-Shot Reasoners'. arXiv.2205.11916 [cs.CL]

- Liu, J., Liu, A., Lu, X., Welleck, S., West, P., Bras, R. L., Choi, Y. and Hajishirzi, H. (2021). 'Generated Knowledge Prompting for Commonsense Reasoning', arXiv:2110.08387 [cs.CL].

- Wei, J., Wang, X., Schuurmans, Dale., Bosma, M., Chi, E., Le, Q., and Zhou, D. (2022) 'Chain of thought prompting elicits reasoning in large language models'. arXiv:2201.11903 [cs.CL].

カバーデザイン　古屋郁美
本文デザイン　吉田考宏、古屋郁美
ＤＴＰ　佐藤純（アスラン編集スタジオ）

【著者紹介】

佐野　大樹（さの・もとき）

●――Googleで生成AIの開発に従事するAnalytical Linguist（アナリティカル・リングイスト）。生成AIやスマートスピーカーなどのバーチャルアシスタントなど、人工知能に言葉を教えるスペシャリスト。オーストラリア国立ウーロンゴン大学にて選択体系機能言語理論の研究で博士（Ph.D）取得後、国立国語研究所で日本語について入手可能な唯一の均衡コーパス『現代日本語書き言葉均衡コーパス』の構築に従事。プロジェクト終了後、情報通信研究機構ユニバーサルコミュニケーション研究所にて、災害時の問題-対応策ツイートのマッチングや含意データベースの開発を行う。2014年より現職。編著「Mapping Genres, Mapping Culture: Japanese texts in context」、学術論文「Million-scale Derivation of Semantic Relations from a Manually Constructed Predicate Taxonomy」、言語資源『日本語アプレイザル評価表現辞書』などを執筆、公開。

生成AIスキルとしての言語学
誰もが「AIと話す」時代における
ヒトとテクノロジーをつなぐ言葉の入門書

2024年２月19日　　第１刷発行

著　者――佐野　大樹
発行者――齊藤　龍男
発行所――株式会社かんき出版
東京都千代田区麹町4-1-4 西脇ビル　〒102-0083
電話　営業部：03(3262)8011㈹　編集部：03(3262)8012㈹
FAX　03(3234)4421　　振替　00100-2-62304
https://kanki-pub.co.jp/

印刷所――ベクトル印刷株式会社

 ISBN978-4-7612-7719-2 C0034